suhrkamp taschenbuch
wissenschaft 532

Gegenüber den anti-rationalen Zweideutigkeiten des sogenannten Postmodernismus verteidigt Albrecht Wellmer die Perspektive einer radikalisierten Aufklärung. In kritischer Anknüpfung an Adorno setzt er diese Perspektive zu zentralen Impulsen der modernen Kunst in Beziehung. Hierin liegt zugleich ein Anknüpfungspunkt an die Rationalitätskritik der Postmodernisten: für diese ebenso wie für Adorno steht die moderne Kunst im Zeichen einer Kritik der Rationalitätsform der Moderne; in beiden Fällen wird sie zum Schlüssel einer Kritik der diskursiven, der instrumentellen, der »totalisierenden« Vernunft. Für Adorno zielt diese Kritik auf eine Selbstüberschreitung der Aufklärung; hierin bleibt er – im Gegensatz zu den Postmodernisten – unzweideutig ein Aufklärer. *Gegen* Adorno ist freilich einzuwenden, daß die Kunst nur um den Preis einer Re-Theologisierung der Geschichte sich als Ort einer »höheren« Rationalität, als Vorschein von Versöhnung deuten läßt: die Kunst ist nicht das Paradigma einer höheren Rationalitätsform, sondern das Medium einer Entgrenzung unseres Rationalitäts*verständnisses*; sie steht nicht für das Ganze einer anderen, besseren Vernunft, sondern für die Möglichkeit einer Erweiterung von Subjekt-, Kommunikations- und Erfahrungsgrenzen.

Albrecht Wellmer, geb. 1933, ab 1974 Professor für Philosophie an der Universität Konstanz, seit 1990 an der Freien Universität Berlin. In der Reihe suhrkamp taschenbuch wissenschaft hat er außer dem vorliegenden Band veröffentlicht: *Ethik und Dialog. Elemente des moralischen Urteils bei Kant und in der Diskursethik* (stw 578); *Endspiele. Die unversöhnliche Moderne* (stw 1095).

Albrecht Wellmer

Zur Dialektik von Moderne und Postmoderne

Vernunftkritik nach Adorno

Suhrkamp

Die Deutsche Bibliothek – CIP-Einheitsaufnahme
Wellmer, Albrecht:
Zur Dialektik von Moderne und Postmoderne :
Vernunftkritik nach Adorno / Albrecht Wellmer. –
5. Aufl. – Frankfurt am Main : Suhrkamp, 1993
(Suhrkamp-Taschenbuch Wissenschaft ; 532)
ISBN 3-518-28132-1
NE: GT

suhrkamp taschenbuch wissenschaft 532
Erste Auflage 1985

Satz: Wagner GmbH, Nördlingen
Druck: Nomos Verlagsgesellschaft, Baden-Baden
Printed in Germany
Umschlag nach Entwürfen von
Willy Fleckhaus und Rolf Staudt

5 6 7 8 9 10 – 98 97 96 95 94 93

Inhalt

Vorbemerkung

Die in diesem Band gesammelten Arbeiten sind aus Vorträgen zu verschiedenartigen Anlässen entstanden. »Wahrheit, Schein, Versöhnung. Adornos ästhetische Rettung der Modernität« war mein Beitrag zum Kolloquium »Ästhetische Theorie« der Adorno-Konferenz im September 1983 in Frankfurt. Die erste Fassung der Arbeit »Zur Dialektik von Moderne und Postmoderne. Vernunftkritik nach Adorno« entstand aus Anlaß eines Vortrags beim Symposium über »Moderne und Postmoderne«, das im März 1984 am Maison des Sciences de l'Hommes in Paris stattfand. »Kunst und industrielle Produktion. Zur Dialektik von Moderne und Postmoderne« ist die erweiterte und veränderte Fassung eines Vortrags, den ich aus Anlaß des 75-jährigen Bestehens des Deutschen Werkbundes im Oktober 1982 in München gehalten habe. Der Vortrag »Adorno, Anwalt des Nicht-Identischen«, den ich im Juli 1984 an der Universität Konstanz gehalten habe, war ursprünglich nicht für eine Veröffentlichung bestimmt. Hieraus erklärt sich, daß er einige wörtlich übernommene Passagen aus den beiden zuerst genannten Arbeiten enthält. Ich habe mich zum Abdruck dieses Vortrags entschlossen, weil in ihm gedankliche Konstellationen – insbesondere von Adornos Philosophie – ausführlicher erläutert werden, die in den übrigen Arbeiten nur in sehr komprimierter Form dargestellt werden.
Der thematische Zusammenhang der vier Arbeiten dieses Bandes liegt in der Frage nach der Rolle der Kunst als Instanz des Einspruchs gegen die dominante Rationalitätsform der Moderne sowie in dem Versuch, mit Adorno und gegen Adorno die Rationalismus-Kritik aus der falschen Alternative »Versöhnungsphilosophie versus Irrationalismus« herauszulösen.
Ich danke der Deutschen Forschungsgemeinschaft, die mir durch Gewährung eines Forschungssemesters die Möglichkeit zur Publikation dieses Buches gegeben hat.

Wahrheit, Schein, Versöhnung
Adornos ästhetische Rettung der Modernität

Wie kein anderer hat Theodor W. Adorno die kulturelle Moderne in all ihren Zweideutigkeiten ausgemessen; Zweideutigkeiten, in denen sich Möglichkeiten einer Entfesselung ästhetischer und kommunikativer Potentiale ebenso ankündigen wie die Möglichkeit eines Absterbens der Kultur. Man darf vermuten, daß seit Schopenhauer und Nietzsche – mit deren Ästhetik und Erkenntnistheorie Adornos Denken im übrigen untergründig kommuniziert – keine andere Kunstphilosophie, zumindest in Deutschland, so nachhaltig auf Künstler, Kritiker und Intellektuelle gewirkt hat wie diejenige Adornos. Die Spuren seiner Wirkung im Bewußtsein derer, die produktiv, kritisch oder auch bloß rezeptiv mit moderner Kunst zu tun haben, sind unübersehbar; mehr noch als anderswo gilt dies für die Musik-Kritik, wo Adorno, wie Carl Dahlhaus es formuliert hat, eigentlich erst »ein Niveau bestimmt hat, auf dem überhaupt über neue Musik geredet und gesprochen werden konnte.«[1] In der neueren Musik-Kritik ist Adornos Autorität auch dort noch spürbar, wo die Musik die Grenzen, die Adorno ihr zog, überschritten hat; ich denke etwa an H.-K. Metzgers Plädoyers für die »anti-autoritäre« Musik von John Cage.[2] Während aber Adornosche Denkweisen, ja seine Weisen des geistigen Reagierens, sich im Bewußtsein von Künstlern, Schriftstellern und Intellektuellen gleichsam sedimentiert haben, hat seine *Ästhetische Theorie* im Bereich der akademischen Kunstphilosophie und Literaturtheorie ein weniger günstiges Schicksal gehabt: nach einer etwa zehnjährigen Phase kritischer Rezeption scheint es, als hätten nur Bruchstücke und Trümmer von Adornos Ästhetik die philosophische, literatur- und musikwissenschaftliche Kritik überlebt. Nicht die Esoterik der *Ästhetischen Theorie* ist zum Hindernis ihrer Rezeption geworden, sondern ihre Systematik: die Ästhetik der Negativität hat ihre starren Züge, die aporetischen Konstruktionen Adornos haben ein Künstliches, und seine ästhetischen Urteile einen geheimen Traditionalismus hervorgekehrt. Wie es in der Philosophie üblich ist, teilen die Kritiker – sofern sie die Sache nicht für erledigt halten – die Beute unter sich: Bruchstücke des komplexen Zusammenhanges von Negativität, Schein, Wahrheit und Utopie, als den Adorno die Manifestationen der Kunst begriff, finden sich etwa in Jauß' Rezeptionsästhetik, in Bürgers Literatursoziologie oder in Bohrers Ästhetik der Plötzlichkeit wieder. Daß dies nicht bloß das Resultat einer eklektischen Aneignung Adornos ist, zeigt die philosophische Adorno-Kritik, zeigen insbesondere die auf die Systematik der Adornoschen Ästhetik zielenden Kritiken von Baumeister/Kulenkampff und Bubner.[3] Das – zumindest partielle – Recht aller hier erwähnten Kritiker scheint mir unbestreitbar; gleichwohl hinterläßt ihre Kritik ein Gefühl der Disproportion zwischen den Resultaten der Kritik und ihrem Gegenstand: als entglitte den Kritikern das eigentlich Substantielle der Adornoschen Ästhetik. Letzteres ist die Gefahr jeder partiellen, d. h. nicht aufs Ganze gehenden Kritik; sie ließe sich im Falle der Adornoschen Ästhetik vielleicht vermeiden, wenn es gelänge, deren zentrale Kategorien gleichsam von innen her in Bewegung zu bringen und aus ihrer dialektischen Starre zu lösen. Nicht die Abmilderung der Kritik, sondern ihre Konzentration wäre die Voraussetzung. Ich will versuchen, einen Schritt in dieser Richtung zu tun.

I

Für ein Verständnis von Adornos Ästhetik bleibt die *Dialektik der Aufklärung* von Adorno und Horkheimer ein Schlüsseltext. In ihr ist die Dialektik von Subjektivierung und Verdinglichung entfaltet, die Dialektik des ästhetischen Scheins zumindest angedeutet. Die wechselseitige Durchdringung dieser beiden Dialektiken ist das Bewegungsprinzip der *Ästhetischen Theorie*.

Was die *Dialektik der Aufklärung* betrifft, so rührt der außerordentliche Charakter dieses Buches nicht nur von seiner literarisch verdichteten, gleichsam von Blitzen durchzuckten Prosa her, sondern mehr noch von dem außerordentlich Gewagten des Versuchs, zwei disparate philosophische Traditionslinien miteinander zu verschmelzen: eine, die von Schopenhauer über Nietzsche zu Klages führt[4], und eine andere, die von Hegel über Marx und M. Weber zum frühen Lukács führt.[4a] Schon Lukács hatte die Rationalisierungstheorie Webers in die Kritik der politischen Ökonomie integriert; die *Dialektik der Aufklärung* ließe sich als Versuch verstehen, auch noch die radikale Zivilisations- und

Vernunftkritik L. Klages' marxistisch anzueignen. So werden Stufen der Emanzipation vom Naturbann und korrespondierende Stufen der Klassenherrschaft (Marx) zugleich als Stufen der Dialektik von Subjektivierung und Verdinglichung (Klages) aufgefaßt. Hierzu muß die erkenntnistheoretische Trias von Subjekt, Objekt und Begriff in ein Unterdrückungs- und Überwältigungsverhältnis umgedeutet werden, wobei die unterdrückende Instanz – das Subjekt – zugleich zum überwältigten Opfer wird: die Unterdrückung der inneren Natur mit ihren anarchischen Glücksimpulsen ist der Preis für die Ausbildung eines einheitlichen Selbst, welche um der Selbst-*Erhaltung* und um der Beherrschung der äußeren Natur willen notwendig war. Nicht nur auf Klages, sondern schon auf Nietzsche, ja auf Schopenhauer zurück geht der Gedanke, daß Begriffe »ideelle Werkzeuge« sind, zum Zwecke der Zurechtmachung und Beherrschung der Wirklichkeit durch ein Subjekt, das wesentlich als Wille zur Selbsterhaltung gedacht ist. Daher ist auch die formale Logik kein Organon der Wahrheit, sondern nur das Vermittlungsglied zwischen der Einheit des Subjekts – dem »systemstiftenden Ich-Prinzip« (ND 36) und dem »zurüstenden« und »abschneidenden« Begriff (ND 21). Der begrifflich objektivierende, nach dem Gesetz des Nicht-Widerspruchs operierende und systembildende Geist wird schon in seinen Ursprüngen – nämlich kraft der »Spaltung des Lebens in den Geist und seinen Gegenstand« (vgl. DdA 279) – zur instrumentellen Vernunft. Dieser instrumentelle Geist, Teil der lebendigen Natur, kann am Ende sogar sich selbst nur noch in Begriffen einer *toten* Natur ausbuchstabieren; als objektivierender ist er von seinen Ursprüngen her selbst*vergessen*, als selbstvergessener verselbständigt er sich zum universellen Verblendungszusammenhang der instrumentellen Vernunft.

Gut marxistisch – und zugleich hegelisch – halten Adorno und Horkheimer freilich daran fest, daß der Prozeß der Zivilisation zugleich ein Prozeß der *Aufklärung* ist; nur als dessen *Resultat* können »Versöhnung«, »Glück« oder »Emanzipation« gedacht werden (vgl. DdA 80). Hiermit ist der Rückweg in das archaische Bilderreich Klages' als bloß illusorischer Weg zur Versöhnung abgeschnitten. Versöhnung kann nur als *Aufhebung* der Selbstentzweiung der Natur gedacht werden, erreichbar nur im Durchgang durch die Selbstkonstitution der Menschengattung in einer Geschichte der Arbeit, des Opfers und der Entsagung (vgl.

DdA 71). Daraus folgt auch, daß der Prozeß der Aufklärung sich nur in seinem eigenen Medium – dem des naturbeherrschenden Geistes – selbst überbieten und vollenden könnte. Die Aufklärung der Aufklärung über sich selbst, das »Eingedenken der Natur im Subjekt« ist nur im Medium des Begriffs möglich; Voraussetzung wäre freilich, daß der Begriff sich gegen die verdinglichende Tendenz des begrifflichen Denkens kehrt, wie Adorno es in der *Negativen Dialektik* für die Philosophie postulieren wird: »An ihr ist die Anstrengung, über den Begriff durch den Begriff hinauszugelangen.« (ND 27)
Adorno hat in der *Negativen Dialektik* diese Selbstüberbietung des Begriffs als die Hereinnahme eines »mimetischen« Moments in das begriffliche Denken zu charakterisieren versucht. Rationalität und Mimesis müssen zusammentreten, um die Rationalität aus ihrer Irrationalität zu erlösen. Mimesis ist der Name für die sinnlich rezeptiven, expressiven und kommunikativ sich anschmiegenden Verhaltensweisen des Lebendigen. Der Ort, an dem mimetische Verhaltensweisen im Prozeß der Zivilisation als *geistige* sich erhalten haben, ist die Kunst: Kunst ist vergeistigte, d. h. durch Rationalität verwandelte und objektivierte Mimesis. Kunst *und* Philosophie bezeichnen somit die beiden Spähren des Geistes, in denen dieser durch die Verschränkung des rationalen mit einem mimetischen Moment die Kruste der Verdinglichung durchbricht. Freilich geschieht diese Verschränkung in beiden Fällen vom jeweils entgegengesetzten Pol her: in der Kunst nimmt das Mimetische die Gestalt des Geistes an, in der Philosophie sänftigt der rationale Geist sich zum Mimetisch-Versöhnenden. Geist als »versöhnender« ist das Kunst und Philosophie gemeinsame Medium; er ist aber auch der Inbegriff ihres gemeinsamen Bezuges auf Wahrheit, ihr gemeinsamer Fluchtpunkt, ihre Utopie. So wie nämlich der Begriff des instrumentellen Geistes nicht nur ein kognitives Verhältnis, sondern ein Strukturprinzip der Beziehungen zwischen den Menschen und zwischen Mensch und Natur meint, so steht der Begriff des versöhnenden Geistes nicht nur für die »gewaltlose Synthesis des Zerstreuten« im Schönen der Kunst und im philosophischen Gedanken, sondern zugleich für die gewaltlose Einheit des Vielen in einem versöhnten Zusammenhang alles Lebendigen. In den Erkenntnisformen von Kunst und Philosophie ist dieser versöhnte Zusammenhang des Lebendigen vorgebildet als die gewaltlose Überbrückung der

Kluft zwischen Anschauung und Begriff, zwischen Besonderem und Allgemeinem, zwischen Teil und Ganzem. Und nur dieser, den versöhnten Zustand in sich vorbildenden Gestalt des Geistes kann *überhaupt* Erkenntnis zufallen; in diesem Sinn ist der Satz aus den *Minima Moralia* zu verstehen, daß »Erkenntnis kein Licht (hat), als das von Erlösung her auf die Welt scheint«.[5]
Kunst und Philosophie verhalten sich somit von ihrem utopischen Begriff her antithetisch zur Welt des instrumentellen Geistes; daher ihre konstitutive Negativität. Während aber Kunst und Philosophie beide, je auf ihre Weise, den Hiatus zwischen Anschauung und Begriff gewaltlos zu überbrücken trachten, ist ihr Verhältnis zueinander, als das zweier Bruchstücke eines nichtverdinglichenden Geistes, selbst noch einmal das Verhältnis zwischen Anschauung und Begriff; ein Verhältnis freilich, das sich nicht zur artikulierten Einheit einer Erkenntnis beruhigen kann. Die Präsenz des versöhnenden Geistes in einer unversöhnten Welt kann nur aporetisch gedacht werden.

Dies ist die Aporie: nicht-diskursive und diskursive Erkenntnis wollen beide das Ganze der Erkenntnis; aber gerade die Spaltung der Erkenntnis in nicht-diskursive und diskursive bedeutet, daß beide jeweils nur komplementäre Brechungsgestalten der Wahrheit fassen können. Das Zusammenfügen dieser komplementären Brechungsgestalten der Wahrheit zur ganzen, unverkürzten Wahrheit wäre nur möglich, wenn die Spaltung selbst aufgehoben, die Wirklichkeit versöhnt wäre. Im Kunstwerk kommt die Wahrheit sinnlich zur Erscheinung; das macht seinen Vorrang vor der diskursiven Erkenntnis aus. Aber gerade *weil* die Wahrheit im Kunstwerk sinnlich erscheint, ist sie der ästhetischen Erfahrung auch wieder verhüllt; da das Kunstwerk die Wahrheit nicht aussprechen kann, die es zur Erscheinung bringt, weiß die ästhetische Erfahrung nicht, was sie erfährt. Die Wahrheit, die im aufblitzenden Moment der ästhetischen Erfahrung sich zeigt, ist als konkrete und gegenwärtige zugleich ungreifbar. Um diesen Zusammenhang zwischen Evidenz und Ungreifbarkeit der ästhetisch erscheinenden Wahrheit zu verdeutlichen, hat Adorno Kunstwerke mit Rätseln und Vexierbildern verglichen. Dem Vexierbild ähneln Kunstwerke »darin, daß das von ihnen Versteckte, wie der Poe'sche Brief, erscheint und durchs Erscheinen sich versteckt« (ÄT 185). Versucht man das Ungreifbare zu fassen, durch verstehendes Eindringen in die Kunstwerke, so verflüchtigt es sich wie der Regenbogen, dem man zu nahe kommt (ÄT 185). Wäre aber der Wahrheitsgehalt der Kunstwerke in den Augenblick der ästhetischen Erfahrung eingeschlossen, so wäre er verloren, die ästhetische Erfahrung nichtig. Daher sind die Kunstwerke, und zwar um dessen willen, was in ihnen über den flüchtigen Moment der ästhetischen Erfahrung *hinausweist*, auf »deutende Vernunft« angewiesen (ÄT 193), auf die »Herstellung ihres Wahrheitsgehalts« durch Interpretation. Interpretation bedeutet für Adorno: *philosophische* Interpretation; das »Bedürfnis der Werke nach Interpretation« (ÄT 193) ist das Bedürfnis der ästhetischen Erfahrung nach philosophischer Erhellung. »Genuine ästhetische Erfahrung muß Philosophie werden oder sie ist überhaupt nicht.« (ÄT 197) Die Philosophie aber, deren Utopie es wäre, »das Begriffslose mit Begriffen aufzutun, ohne es ihnen gleichzumachen« (ND 21), bleibt an das Medium der »meinenden Sprache«[6] gebunden, in welchem die Unmittelbarkeit der ästhetisch erscheinenden Wahrheit sich nicht restituieren läßt. So wie der Unmittelbarkeit der ästhetischen Anschauung ein Moment der Blindheit, so haftet der Vermittlung des philosophischen Gedankens ein Moment der Leerheit an; nur gemeinsam können sie eine Wahrheit umkreisen, die sie beide nicht aussprechen können. »Unverhüllt ist das Wahre der diskursiven Erkenntnis, aber dafür hat sie es nicht; die Erkenntnis, welche Kunst ist, hat es, aber als ein ihr Inkommensurables.« (ÄT 191) Im »Fragment über Musik und Sprache« hat Adorno diese komplementäre Unzulänglichkeit der ästhetischen und der diskursiven Erkenntnis so beschrieben: »Die meinende Sprache möchte das Absolute vermittelt sagen, und es entgleitet ihr in jeder einzelnen Intention, läßt eine jede als endlich hinter sich zurück. Musik trifft es unmittelbar, aber im gleichen Augenblick verdunkelt es sich, so wie überstarkes Licht das Auge blendet, welches das ganz Sichtbare nicht mehr zu sehen vermag.«[7] Die Sprache der Musik und die meinende Sprache erscheinen als die auseinandergebrochenen Hälften der »wahren Sprache«, einer Sprache, »in der der Gehalt selber offenbar« würde, wie es im selben Fragment heißt.[8] Die Idee dieser Sprache ist »die Gestalt des göttlichen Namens.«[9] Im aporetischen Zusammenhang von Kunst und Philosophie ist eine theologische Perspektive aufgehoben: Kunst und Philosophie entwerfen gemeinsam die Gestalt einer negativen Theologie.

II

Die antithetische Stellung des Kunstschönen zur Welt des instrumentellen Geistes, d. h. zur empirischen Wirklichkeit, ergab sich aus seinem utopischen Begriff. Hierin ist auch die Umkehrung der Nachahmungslehre bei Adorno begründet: Kunst ahmt nicht Wirkliches nach, sondern allenfalls das, was schon am Wirklichen über die Wirklichkeit hinausweist: das Naturschöne (vgl. ÄT 113). Im Naturschönen sieht Adorno die Chiffre einer noch-nicht-seienden, einer versöhnten Natur; einer Natur also, die über die Spaltung des Lebens in den Geist und seinen Gegenstand hinausgewachsen wäre, diese Spaltung als versöhnte in sich aufgehoben hätte; ein zwangloses Zusammen des in seiner Besonderheit ungekränkten Vielen. Das Kunstwerk, als Nachahmung des Naturschönen, wird so zum Bild einer beredten, aus ihrer Stummheit befreiten, einer erlösten Natur, ebenso wie zum Bild einer versöhnten Menschheit. Daß die Utopie der Versöhnung sich auf die Natur als Ganze bezieht, erklärt sich aus der Radikalität der Antithese von instrumentellem und ästhetisch versöhnendem Geist: beide, der instrumentelle und der versöhnende Geist, meinen eine Ordnung des Lebendigen im Ganzen.
Nichts anderes als den Zusammenhang zwischen Negativität und utopischem Gehalt des Kunstschönen meint auch der für Adornos Ästhetik grundlegende Verweisungszusammenhang der Kategorien Wahrheit, Schein und Versöhnung. Wie jedoch der Verweisungszusammenhang von Kunst und Philosophie sich als aporetisch erwies, so erweist sich der Verweisungszusammenhang von Wahrheit, Schein und Versöhnung im Kunstschönen als antinomisch; dies ist die Dialektik des ästhetischen Scheins.
Schon in der *Dialektik der Aufklärung* wird die Dialektik des ästhetischen Scheins angedeutet. Die Abspaltung des Kunstschönen von der Lebenspraxis erscheint dort nämlich unter einer doppelten Perspektive: einmal als *Entmächtigung* des Schönen zum bloßen Schein, wie es am Beispiel der Sirenenepisode dargestellt wird; zum anderen als *Herauslösung* des Schönen aus magischen Zweckzusammenhängen und daher seine *Freisetzung* zu einem Organon von Erkenntnis. Wahrheit und Unwahrheit des Schönen sind ineinander verschränkt. Um nun die Dialektik des Scheins, so wie Adorno sie vor allem in der *Ästhetischen Theorie* entfaltet hat, genauer zu fassen, müssen wir seinen Be-

griff der Kunstwahrheit präzisieren. Das, worum es geht, ließe sich so ausdrücken: was die Kunst zur Erscheinung bringt, ist nicht das »Licht der Erlösung« selbst, sondern die *Wirklichkeit* im Lichte der Erlösung. Die Wahrheit der Kunstwerke ist konkret, die Wahrheit der Kunst ein Vieles, gebunden an die Konkretion ihrer einzelnen Werke; oder vielmehr: sie ist die eine Wahrheit, die jeweils nur als *besondere* Wahrheit in Erscheinung treten kann; das Kunstwerk ein jeweils einzigartiger Spiegel der Wirklichkeit wie eine Leibnizsche Monade. Als jeweils *besonderer* hängt der Wahrheitsgehalt der Kunstwerke daran, daß die Wirklichkeit nicht verfälscht wird, daß Wirklichkeit in ihm zur Erscheinung kommt, wie sie ist. Wollte man analytisch trennen, was Adorno dialektisch zusammendenkt, so könnte man Wahrheit_1 als ästhetische Stimmigkeit von Wahrheit_2 als gegenständlicher Wahrheit unterscheiden. Die Einheit beider Momente besagt dann, daß Kunst Erkenntnis der Wirklichkeit (Wahrheit_2) nur sein kann vermöge der ästhetischen Synthesis (Wahrheit_1) und daß andererseits ästhetische Synthesis (Wahrheit_1) nur gelingen kann, wenn durch sie Wirklichkeit (Wahrheit_2) zur Erscheinung gebracht wird. Nun ist aber die Kunst als die Sphäre der scheinenden Versöhnung schon ihrem Begriffe nach das Andere, die Negation einer unversöhnten Wirklichkeit. Wahr im Sinne von wirklichkeitstreu kann sie daher nur sein, insofern sie die Wirklichkeit *als* unversöhnte, antagonistische, zerrissene zur Erscheinung bringt. Aber sie kann das nur, indem sie die Wirklichkeit im Lichte der Versöhnung erscheinen läßt, durch gewaltlose ästhetische Synthesis des Zerstreuten nämlich, welche den Schein der Versöhnung erzeugt. Dies bedeutet aber, daß eine Antinomie ins *Innere* der ästhetischen Synthesis hineingetragen wird: diese kann, ihrem Begriffe nach, nur gelingen, indem sie sich gegen sich selbst kehrt, ihr eigenes Prinzip in Frage stellt, um der Wahrheit willen, die doch anders als kraft dieses Prinzips nicht zu haben ist.

»Wahr ist Kunst, soweit das aus ihr Redende und sie selber zwiespältig, unversöhnt ist, aber diese Wahrheit wird ihr zuteil, wenn sie das Gespaltene synthesiert und dadurch erst in seiner Unversöhnlichkeit bestimmt. Paradox hat sie das Unversöhnte zu bezeugen und gleichwohl tendenziell zu versöhnen ...« (ÄT 251)

Diese antinomische Struktur der Kunst ist in der geschichtlichen Trennung von Bild und Zeichen, von nicht-begrifflicher und

begrifflicher Synthesis, von allem Anfang an angelegt, auch wenn sie erst mit der Kunst der Moderne, nämlich unter Bedingungen voll ausgebildeter instrumenteller Rationalität, zu ihrem Selbstbewußtsein kommt. Die Kunst muß sich, ihrer Idee nach, gegen ihr eigenes Prinzip kehren, zur Rebellion gegen den ästhetischen Schein werden.
Ich hatte gesagt, daß die wechselseitige Durchdringung der beiden Dialektiken: der Dialektik von Subjektivierung und Verdinglichung und der Dialektik des ästhetischen Scheins, das Bewegungsprinzip von Adornos Ästhetik ist. Es wäre im einzelnen zu zeigen, wie aus der Verschränkung dieser beiden Dialektiken in Adornos Darstellung die Antinomien und Aporien der modernen Kunst resultieren: die Ambivalenz des Konstruktionsprinzips, die Aporien der offenen Form, die Antinomie des nominalistischen Prinzips. Erinnert sei nur daran, daß bei Adorno die Dialektik von Subjektivierung und Verdinglichung als dialektische Konstellation dem Begriff der Subjektivierung selbst einbeschrieben ist: der Begriff bezeichnet zum einen das Erstarken des Subjekts gegenüber den Zwängen der äußeren und inneren Natur wie gegenüber der Gewalt objektiv verpflichtenden Sinns, also gegenüber naturwüchsig geltenden gesellschaftlichen Ordnungen, Normen und Konventionen. Und derselbe Begriff bezeichnet zum anderen den Preis, um den diese emanzipatorischen Vorstöße nur gelingen können: das Anwachsen ›subjektiver‹, das heißt instrumenteller Rationalität, fortschreitende Verdinglichung, die in Selbstdestruktion mündet. Adorno versucht nun zu zeigen, daß auch die Emanzipation der ästhetischen Subjektivität, in der eine Entfesselung der Kunst, ein ästhetischer »Stand der Freiheit« sich anzukündigen schien, von dieser Dialektik ereilt wird. So wie er es darstellt, dringt Verdinglichung gleichsam von allen Seiten in die Poren der modernen Kunst ein: von seiten der Gesellschaft, deren technische Rationalität auf die konstruktiven Verfahren der Kunst abfärbt – Adornos Standardbeispiel ist die Degeneration des Zwölftonprinzips zum Kompositions*verfahren*; von seiten der geschwächten Subjekte, die den Freiheitspotentialen der Kunst sich nicht gewachsen zeigen; und schließlich aus dem ästhetischen Material selbst, dessen Entwicklung die Individualisierung der Sprache in Sprachzerfall umschlagen läßt. Aber diese gleichsam von außen und von ›unten‹ in die Kunst eindringenden Tendenzen des ästhetischen Zerfalls werden erst

durch die innerästhetische Nötigung zur Destruktion des ästhetischen Sinns auf die Spitze getrieben: die Kunst muß um ihrer Wahrheit willen sich gegen das Prinzip der ästhetischen Synthesis kehren. »Negation der Synthesis wird zum Gestaltungsprinzip.« (ÄT 232) Diese paradoxe Formulierung besagt, daß die Kunst als authentische nur überleben kann, wenn es ihr gelingt, die Negation der Synthesis als ästhetischen Sinn zu artikulieren, ästhetische Synthesis noch durch deren Negation hindurch zu bewirken. Das moderne Kunstwerk muß in ein und derselben Bewegung ästhetischen Sinn hervorbringen wie ihn negieren; es muß die Negation des Sinns als Sinn artikulieren, gleichsam auf dem hauchdünnen Grat zwischen affirmativem Schein und scheinloser Antikunst balancierend.

Was Adorno am Ende des Schönberg-Kapitels der *Philosophie der neuen Musik* über die avancierte moderne Musik sagt, bezieht sich implizit auf die authentische Kunst der Moderne insgesamt: »Alle Dunkelheit und Schuld der Welt hat sie auf sich genommen. All ihr Glück hat sie daran, das Unglück zu erkennen; all ihre Schönheit, dem Schein des Schönen sich zu versagen.« (PhdNM 126) Die Antinomie der modernen Kunst aber kommt darin zum Ausdruck, daß für das Gelingen des Balanceakts, von dem die Rede war, kein Begriff mehr zur Verfügung steht: er ist *strictu sensu* unmöglich. Denn wo es der Kunst noch gelingt, die Negation des Sinns ästhetisch sinnvoll zu artikulieren – in der Literatur ist Becketts Werk Adornos wichtigstes Beispiel solchen Gelingens –, dort zeigt sich, daß auch die überlebende Kunst, diejenige, die die Dunkelheit und Schuld der Welt auf sich genommen hat, der Antinomie nicht entgeht; das worin sie Kunst bleibt, ist zugleich das Mal ihrer Unwahrheit; das ästhetische Gelingen, also ihre Wahrheit und Authentizität, ist von einem Rest ästhetischen Scheins, also von Unwahrheit nicht zu trennen:

»Schein ist die Kunst am Ende dadurch, daß sie der Suggestion von Sinn inmitten des Sinnlosen nicht zu entrinnen vermag.« (ÄT 231)

Um der Hoffnung auf Versöhnung willen aber muß die Kunst auch diese Schuld noch auf sich nehmen: dies meint »Rettung des Scheins« für Adorno.

III

In seinen Thesen zur Geschichtsphilosophie hatte Benjamin postuliert, die »Puppe ›historischer Materialismus‹« müsse die Theologie in Dienst nehmen.[10] Adornos Philosophie ließe sich als Versuch verstehen, dieses Postulat zu erfüllen. Indessen bleibt eine Bruchlinie zwischen messianisch-utopischen und materialistischen Motiven in Adornos Denken unübersehbar; dieselbe Bruchlinie zeichnet sich überdies in den materialistischen Theorieelementen noch einmal als Bruchlinie zwischen historischem Materialismus und utopischem Sensualismus ab. So steht etwa Adornos Ästhetik in mancher Hinsicht einem zugleich eschatologisch und sensualistisch gewendeten Schopenhauerianismus näher als einem theologisch aufgeklärten Marxismus. Das Licht der Erlösung, das nach Adorno durchs Medium der Kunst auf die Wirklichkeit fallen soll, ist nicht nur nicht von dieser Welt; es kommt, schopenhauerisch gesprochen, aus einer Welt jenseits von Raum, Zeit, Kausalität und Individuation. Zugleich aber hält Adorno an einem sensualistischen Begriff des Glücks als eines Inbegriffs sinnlicher Erfüllung fest. Die Interferenz des theologischen mit dem sensualistischen Motiv bezeichnet eine utopische Perspektive, bei der die Hoffnung auf Erlösung sich nährt von der Sehnsucht nach dem verlorenen Paradies. In gewissem Sinne könnte man sagen, daß Adorno seine ganze, gewaltige intellektuelle Energie daran gesetzt hat, diesem Traum von Versöhnung zur Ehre wenn nicht des philosophischen Begriffs, so doch einer alle Wahrheit in sich begreifenden philosophischen Idee zu verhelfen. Nur in diesem Zusammenhang konnte die ästhetische Synthesis für Adorno zum Vorschein eines versöhnten Zusammenhangs der Menschen, Dinge und Naturwesen werden.

Die eschatologisch-sensualistische Utopie läßt den Abstand zwischen der geschichtlichen Wirklichkeit und dem Stand der Versöhnung so unermeßlich werden, daß seine Überbrückung kein sinnvolles Ziel menschlicher Praxis mehr sein kann; der Abstand wird, wie Adorno sagt, zum »Abgrund zwischen der Praxis und dem Glück« (ÄT 26). Es kann keine Begriffe mehr geben, in denen wir den Stand der Versöhnung *denken* könnten; dessen Idee erscheint gleichsam nur *ex negativo* am Horizont von Kunst und Philosophie – am ehesten greifbar noch, wenn in den Erschütterungen der ästhetischen Erfahrung das Ich »um ein Winziges über das Gefängnis hinausschaut, das es selbst ist« (ÄT 364). So ist, wie bei Schopenhauer, die ästhetische Erfahrung bei Adorno eher eine ekstatische als eine real-utopische; das Glück, das sie verspricht, ist nicht von dieser Welt.

Auf der anderen Seite bedeutet die Unermeßlichkeit des Abstands zwischen Wirklichkeit und Utopie, daß die Wirklichkeit gleichsam transzendental, vor aller Erfahrung, auf Negativität fixiert wird. Wenn uns Wahrheit nur zuteil werden kann, wenn wir die Welt so sehen, »wie sie einmal als bedürftig und entstellt im messianischen Licht daliegen wird«[11], dann ist der mörderische Charakter des Weltlaufs schon besiegelt, bevor seine Erfahrung zur Verzweiflung führen kann. Daß die Notwendigkeit zu solcher Verzweiflung schon in die Grundkategorien von Adornos Philosophie eingebaut ist, dies, wenn etwas, erklärt die eigentümliche Vorentschiedenheit der Wahrheitsfrage in Adornos Interpretationen moderner Kunst.

Unübersehbar ist freilich, daß innerhalb der utopisch-messianischen Perspektive genuin materialistische Theorieelemente ein eigensinniges und kräftiges Eigenleben in Adornos Philosophie führen. In ihnen lebt ein Bezug auf gesellschaftliche Praxis fort; von ihnen her wäre am Ende die theologische Perspektive noch einmal umzudeuten: erst dann hätte die Puppe ›historischer Materialismus‹ die Theologie in Dienst genommen. Was in Frage steht, ist eine Form der Kritik, die das System von Adornos philosophischen Kategorien als Ganzes in Bewegung brächte und damit zugleich seine Ästhetik materialistisch zu entziffern erlaubte.

Die Grundzüge einer solchen Adorno-Kritik, die von der Bruchlinie zwischen materialistischem und messianischem Motiv her ansetzt, hat J. Habermas in seiner *Theorie des kommunikativen Handelns* entwickelt.[12] Das Grundargument von Habermas ist ebenso einfach wie überzeugend: zur Sphäre eines an Sprache gebundenen Geistes gehört die Intersubjektivität der Verständigung ebenso wie die Objektivierung der Wirklichkeit in Zusammenhängen instrumentellen Handelns; gehört die symmetrisch-kommunikative Beziehung zwischen Subjekt und Subjekt ebenso wie die asymmetrisch-distanzierende zwischen Subjekt und Objekt. Im Paradigma einer Bewußtseinsphilosophie, die die welterschließende Funktion der Sprache aus einem asymmetrischen Subjekt-Objekt-Modell des Erkennens und Handelns erklären muß, bleibt dagegen für das kommunikative Moment des Geistes kein Raum; dieses muß gleichsam exterritorial zur Sphäre des begrifflichen Denkens werden. Dies ist, was bei Adorno geschieht; sein Name für die zur Sphäre des begrifflichen Denkens exterritoriale Sphäre kommunikativen Verhaltens ist *Mimesis.* Demgegenüber nötigt eine sprachphilosophische Reflexion auf die Grundlagen des instrumentellen Geistes zur Anerkennung eines ›mimetischen‹ Moments im begrifflichen Denken selbst: ein mimetisches Moment ist in der Alltagssprache ebenso aufgehoben wie in Kunst und Philosophie. Einer Philosophie, die die Funktion des Begriffs aus der Polarität von Subjekt und Objekt versteht, muß dies verborgen bleiben; sie kann hinter den objektivierenden Sprachfunktionen nicht die kommunikativen Leistungen als Bedingung ihrer Möglichkeit erkennen. Deshalb kann sie Mimesis nur als das Andere der Rationalität, das Zusammentreten von Mimesis und Rationalität nur als Negation der geschichtlichen Wirklichkeit denken. Um die *vorgängige* Einheit des mimetischen und des rationalen Moments in den Grundlagen der Sprache zu erkennen, bedarf es eines philosophischen Paradigmenwechsels:

»An den mimetischen Leistungen läßt sich der vernünftige Kern erst freilegen, wenn man das Paradigma der Bewußtseinsphilosophie, nämlich ein die Objekte *vorstellendes* und an ihnen sich *abarbeitendes* Subjekt, zugunsten des Paradigmas der Sprachphilosophie, der intersubjektiven Verständigung und Kommunikation aufgibt und den kognitiv-instrumentellen Teilaspekt einer umfassenden *kommunikativen Rationalität* einordnet.«[13]

Wenn aber die Intersubjektivität der Verständigung – kommunikatives Handeln – für die Sphäre des Geistes ebenso konstitutiv ist, wie die Objektivierung der Wirklichkeit in Zusammenhängen instrumentellen Handelns, dann wandert die utopische Perspektive, die Adorno durch den bewußtseinsphilosophischen Begriff einer ›gewaltlosen‹ Synthesis zu erläutern versucht, gleichsam in die Sphäre der diskursiven Vernunft selbst ein: unversehrte Intersubjektivität, das zwanglose Beisammen des Vielen, welche Nähe und Ferne, Identität und Verschiedenheit der Einzelnen zu gleicher Zeit ermöglichen würde, bezeichnen eine utopische Projektion, deren Elemente die diskursive Vernunft aus den Bedingungen ihrer eigenen Sprachlichkeit gewinnt. Diese utopische Projektion bezeichnet nicht das Andere der diskursiven Vernunft, sondern deren eigene Idee von sich selbst. Weil diese utopische Projektion an die Bedingungen der Sprachlichkeit gebunden bleibt, handelt es sich um eine innerweltliche, in diesem Sinne: eine ›materialistische‹ Utopie.

Die Anerkennung eines kommunikativen Moments im begrifflichen Denken hat zur Folge, daß sich der von Adorno und Horkheimer konstruierte dialektische Zusammenhang von Subjektivierung und Verdinglichung *als* dialektischer auflöst. Dies hat Habermas in der *Theorie des kommunikativen Handelns* gezeigt. Die Pointe seines Arguments ließe sich durch den Vergleich zweier Formulierungen Adornos verdeutlichen. In der *Ästhetischen Theorie* spricht Adorno einmal von der »erkenntnistheoretischen Einsicht, daß der Anteil von Subjektivität und Verdinglichung korrelativ ist« (ÄT 252). Diese Formulierung ist durchaus zweideutig; sie wäre vereinbar mit Habermas' These, daß »kommunikative Rationalisierung« einerseits, »Systemrationalisierung« und naturwissenschaftlich-technischer Fortschritt andererseits in der Moderne sich zueinander »korrelativ« verhalten. Diese These betrifft die Ausdifferenzierung zweier Rationalisierungstypen und ihrer wechselseitigen Strukturierungs*möglichkeiten* in der Moderne. Diese These läßt offen, in welcher Weise die durchaus als *begrifflich* korrelativ gedachten Strukturen kommunikativer und instrumentell-funktionalistischer Rationalität sich in der übergreifenden Struktur eines gesellschaftlichen Lebenszusammenhanges durchdringen werden. Letzteres ist eine empirisch-historische Frage; Habermas' eigene Erklärung für die Bedrohung der Strukturen kommunikativer Rationalität und das Überwuchern systemischer Rationalität in der Moderne ist letztlich eine marxistische. Demgegenüber fallen bei Adorno die beiden Ebenen der Analyse gewissermaßen zusammen, wie die zweite Formulierung zeigt, ebenfalls aus der *Ästhetischen Theorie*; es heißt dort, die Subjektivität arbeite »kraft ihrer eigenen Logik« an ihrer eigenen »Ausrottung« (ÄT 235). Da der kommunikative Anteil des Subjekts im Subjekt-Objekt-Modell unsichtbar wird, bleibt als Korrelat des erstarkenden Subjekts kraft *begrifflicher* Logik nur noch die Tendenz zur Verdinglichung sichtbar. Daher muß aus der *Korrelativität* von Subjektivität und Verdinglichung bei Adorno (und Horkheimer) eine *Dialektik* von Subjektivierung und Verdinglichung werden. Selbst aber wenn die zeitdiagnostischen Konsequenzen, die sich bei Habermas einerseits, Adorno und Horkheimer andererseits am Ende ergeben so verschieden nicht wären: entscheidend bleibt, daß durch die begrifflichen Differenzierungen, die hier in Frage stehen, die Geschichte *selbst* einen Freiheitsgrad zurückgewinnt, den sie bei Adorno und Horkheimer durch die Wahl der Grundkategorien verloren hatte und ohne welchen der Gedanke eines geschichts*immanenten* Potentials an Freiheit nichtig wird. Die unmittelbare Konsequenz für die Ästhetik ist, daß der Übergang von der »Negation objektiv verpflichtenden Sinns« zur »Sinnlosigkeit« der spätkapitalistischen Wirklichkeit nicht mehr aus der »Unmöglichkeit von Sinn kraft des Subjekts« dialektisch abgeleitet werden kann; diese Ableitung aber ist zentral für Adornos Konstruktion der Antinomie der modernen Kunst. Auf die mit dieser Konstruktion zusammenhängende Frage nach dem ästhetischen Sinn der »offenen Formen« der modernen Kunst komme ich zurück.

IV

In Frage steht zunächst, wie sich die Konstellation der ästhetischen Kategorien Wahrheit, Schein und Versöhnung in Bewegung bringen läßt, wenn man sie aus dem Zusammenhang mit der These vom dialektischen Zusammenhang von Subjektivierung und Verdinglichung herauslöst. Der Sinn jener Kategorien bei Adorno ist, wie ich gezeigt habe, unabtrennbar sowohl von einem in seiner Bedeutung a priori bestimmten polemischen Verhältnis der Kunst zur Wirklichkeit als auch von der Perspektive einer erlösten Natur. Gibt man nur eine dieser Voraussetzungen auf, so muß sich der von Adorno konstruierte Zusammenhang zwischen Wahrheit, Schein und utopischem Gehalt des Kunstwerks zunächst einmal auflösen. Dies läßt sich an drei Beispielen der Adorno-Kritik verdeutlichen, bei denen jeweils unterschiedliche Aspekte des Problems in den Vordergrund gerückt werden:
1. H. R. Jauß[14] hat gegen Adorno die *kommunikativen* Funktionen der Kunst eingeklagt. Daß diese bei Adorno nicht vorkommen, hat ihren guten Grund: Probleme der Rezeption und der Kommunikation können sich im Zusammenhang der Kunst erst stellen, wenn der von Adorno konstruierte eindeutige Verweisungszusammenhang von Wirklichkeit, Kunstwerk und Utopie

in Frage gestellt wird. Wo dagegen dieser Verweisungszusammenhang vorausgesetzt wird, erschöpfen sich Probleme der Rezeption und der Kommunikation im Problem der angemessenen Erfassung des Verweisungszusammenhangs selbst: was zählt, ist allein die genuine Erfahrung der Kunstwerke und deren philosophische Enträtselung. Mit der Rede von kommunikativen Funktionen der Kunst tritt an die Stelle des Verweisungszusammenhangs Wirklichkeit – Kunst – Utopie gewissermaßen der Verweisungszusammenhang Wirklichkeit – Kunst – Rezeptionssubjekt, der nicht mehr als linearer, sondern nur noch als zirkulärer Verweisungszusammenhang gedacht werden kann: der Kunst wird eine Funktion in der Lebenspraxis zugewiesen; sie wird als etwas gedacht, das auf die Wirklichkeit *zurückwirkt.*
2. P. Bürger[15] hat den Zusammenhang der Kategorien Wahrheit, Schein und Versöhnung bei Adorno von einem anderen Punkte aus kritisiert. Bürger sieht in Adornos Rettung des ästhetischen Scheins als eines Paradigmas von Versöhnung eine Spitze gegen die Versuche der Avantgarde, das Verhältnis von Kunst und Lebenspraxis in Bewegung zu bringen.[16] Und in der Tat richtet sich Adornos »Rettung des Scheins« gegen Tendenzen einer falschen Aufhebung der Kunst, die für ihn wie ein Schatten die Entwicklung der avancierten Kunst im 20. Jahrhundert begleiteten. Bürger nimmt allerdings ebensowenig wie Jauß den Zusammenhang der ästhetischen Kategorien Wahrheit, Schein und Versöhnung bei Adorno noch ernst; sonst hätte er bemerken müssen, daß Adornos Vorbehalte gegen eine *falsche* Aufhebung der Kunst in der Idee ihrer *wahrhaften* Aufhebung – als Verwirklichung ihres Glücksversprechens – begründet waren. Richtig ist aber, daß die Idee einer geschichtlichen Veränderung der Konstellation von Kunst und Lebenspraxis, in der Bürger den eigentlich produktiven Kern der Avantgarde-Bestrebungen zur Aufhebung der Kunst sieht, mit Adornos ›Versöhnungsparadigma‹ der Kunst in der Tat kaum vereinbar ist. Bürger ersetzt deshalb wiederum den Verweisungszusammenhang von Wirklichkeit, Kunst und Versöhnung durch einen Verweisungszusammenhang von Wirklichkeit, Kunst und Lebenspraxis; wobei für Bürger freilich die produktionsästhetische Bedeutung dieses Verweisungszusammenhangs gegenüber der rezeptionsästhetischen in problematischer Weise in den Vordergrund tritt. Dies kommt nicht zuletzt darin zum Ausdruck, daß Bürger die Kategorie des ästhetischen

Scheins gänzlich eliminieren und durch die des ›Bruchs‹ ersetzen möchte.[17] Was er von dem als Ganzem unhaltbar gewordenen Gebäude der Adornoschen Ästhetik allein noch zu verteidigen versucht, ist dessen Fundament – der Wahrheitsanspruch der Kunst. Die Besetzung dieses Fundaments bekommt freilich unter Gesichtspunkten einer philosophischen Ästhetik etwas eigentümlich Sinnloses, wenn die Zugänge nach oben – zum utopischen Glanz des ästhetischen Scheins – abgesperrt sind.

3. Im Gegensatz zu Bürger, der die Kategorie des ästhetischen Scheins zugunsten derjenigen der Wahrheit einziehen möchte, hat K. H. Bohrer[18] in Anknüpfung an Nietzsche versucht, die Kategorie des ästhetischen Scheins zu retten, indem er sie aus ihrem Verweisungszusammenhang mit dem Wahrheitsbegriff ganz herauslöst: die Pointe ist gleichsam eine Emanzipation des ästhetischen Scheins derart, daß nun auch der andere Pol des für Adorno zentralen Verweisungszusammenhangs Wahrheit – Schein – Utopie im ästhetischen Schein sich auflöst: die Utopie wandert in den Augenblick der ästhetischen Erfahrung ein; deren utopisches Element verliert seinen Bezug auf reale Zukunft. Bohrer, so könnte man sagen, löst eine bei Adorno angelegte Zweideutigkeit, die aus der Spannung zwischen Schopenhauerischer und marxistischer Ästhetik resultiert, ästhetizistisch auf: das Glücksversprechen der Kunst löst sich im ekstatischen Moment der ästhetischen Erfahrung ein. Freilich hält Bohrer an der subversiven Funktion der ästhetischen Erfahrung fest; daher könnte man, was er über die »allegorische« Rolle der »messianisch-eschatologischen Metaphorik« bei Benjamin und Musil sagt, auch als eine entmythologisierende Deutung Adornos verstehen: »Sie berufen ... aus Ehrfurcht die nicht zu verlierende allegorische Kraft eines vergangenen kulturell-religiösen Denkbilds für ein ›Jetzt‹, das es als totale Präsenz logisch und psychologisch nicht geben kann und das dennoch als solches dramatisiert werden muß, will man nicht dem Zwang kultureller Normen und schon geschriebener Geschichte bzw. abgegoltener Ideen anheimfallen.«[19] Unter den drei genannten Autoren ist Bohrer der einzige, der entschieden an der utopischen Valenz des ästhetischen Scheins festhält. Er tut dies aber unter betonter Absage an alle Versuche einer »Entgrenzung« der Kunst, sei es »politisch-moralischer«, »surrealistisch-zerstörerischer« oder »utopisch-sentimentaler«.[20] Daher negiert er mit dem Wahrheitsanspruch der Kunst zugleich den

real-futurischen Sinn ihres utopischen Elements. Bohrer hält gewissermaßen, ohne eigentlich an Adorno zu denken, das strategisch wichtige mittlere Stockwerk im Gebäude von Adornos Ästhetik besetzt; die unhaltbar gewordenen Zugänge nach unten und nach oben gibt er preis.
Bei allen drei genannten Autoren hat sich der Verweisungszusammenhang der ästhetischen Kategorien Wahrheit – Schein – Versöhnung aufgelöst. Dies ist in der Tat unvermeidlich, wenn man die polemisch-utopische Perspektive von Adornos Ästhetik aufgibt oder nicht mehr wörtlich nimmt; und hierin sind sich alle drei Autoren einig. Sie retten jeweils Bruchstücke von Adornos Ästhetik: Jauß und Bohrer den subversiven Charakter der ästhetischen Erfahrung als die »Negation objektiv verpflichtenden Sinns«, die in ihr beschlossen ist; Bohrer den utopischen Glanz des ästhetischen Scheins; Bürger den Wahrheitsanspruch der Kunst. Ich meine nun, daß sich diese Bruchstücke von Adornos Ästhetik sehr wohl wieder zu einem Ganzen verbinden ließen, wobei freilich der lineare, eindimensionale Verweisungszusammenhang der Kategorien Wahrheit, Schein und Versöhnung in eine komplexere, gleichsam mehrdimensionale Konstellation von Kategorien verwandelt werden müßte. Dies zu tun hieße, Adornos dialektisch erstarrte Kategorien von innen her in Bewegung zu bringen. Wie das aussehen könnte, möchte ich andeuten, wobei der Ausgang des Experiments eher noch eine Vermutung bleibt.

V

Ich knüpfe an an Bohrers Reduktion des utopischen Gehalts der Kunst auf den Augenblick des ästhetischen Scheins. Ich sehe darin eine legitime Vereindeutigung eines Gedankens, der bei Adorno zweideutig bleibt, insofern Adorno das ekstatische Moment der ästhetischen Erfahrung zugleich als real-utopisches deutet. Mit der Entmythologisierung des Zusammenhangs zwischen Schein und Utopie wird aber der von Adorno mitgemeinte Verweisungszusammenhang zwischen ästhetischer und sozialer Synthesis nicht einfach hinfällig; er läßt sich vielmehr in einem neuen Sinne rekonstruieren, sofern man nur die These vom dialektischen Zusammenhang zwischen Subjektivierung und Ver-

dinglichung und damit die polemisch-utopische Überfrachtung des Begriffs der ästhetischen Synthesis aufgibt.
Adorno hatte die »Negation objektiv verpflichtenden Sinns« als Inbegriff der emanzipatorischen Potentiale der modernen Kunst verstanden. Gemeint war die Infragestellung von traditionellen Normen, Konventionen, Sinn-Synthesen und Lebensformen, in denen die Aufklärung ein Unreflektiertes, Unlegitimitiertes und Gewaltsames entdeckte. Als unreflektiert-gewaltsame Sinn-Synthesen stellen sich retrospektiv auch die einheits- und sinnstiftenden Formkategorien und ästhetischen Normen der Tradition heraus. Und zwar geht es nicht nur um *bestimmte* Formkategorien und ästhetische Normen; vielmehr wird ein *Typus* der Einheit und des Sinnganzen fragwürdig, für den in der Epoche der großen bürgerlichen Kunst die Einheit des geschlossenen Werks ebenso stand wie die Einheit des individuellen Ich. Die ästhetische Aufklärung entdeckt in der Einheit des traditionellen Werks wie in der Einheit des bürgerlichen Subjekts ein Gewaltsames, Unreflektiertes und Scheinhaftes; einen Typus der Einheit nämlich, der nur um den Preis einer Unterdrückung und Ausgrenzung von Disparatem, Nicht-Integrierbarem, Verschwiegenem und Verdrängtem möglich ist. Es handelt sich um die scheinhafte Einheit einer fingierten Sinn-Totalität, analog immer noch der Sinn-Totalität eines von Gott geschaffenen Kosmos. Die offenen Formen der modernen Kunst sind nach Adorno eine Antwort des emanzipierten ästhetischen Bewußtseins auf das Scheinhafte und Gewaltsame solcher traditioneller Sinn-Totalitäten. Die Momente des *Schein*haften und des *Gewalt*samen an den Sinn-Synthesen der Tradition meint Adorno, wenn er einerseits die moderne Kunst als »Prozeß gegen das Kunstwerk als Sinnzusammenhang« charakterisiert und wenn er andererseits für die moderne Kunst ein Prinzip der Individuierung und der »ansteigenden Durchbildung des je Einzelnen« reklamiert. Beides läßt sich so zusammendenken, daß mit der Hereinnahme des Nicht-Integrierten, Subjektfernen und Sinnlosen in der modernen Kunst ein um so höherer Grad an flexibler und individueller Organisationsleistung notwendig wird. Die »Öffnung« oder »Entgrenzung« des Werks ist gedacht als Korrelat einer ansteigenden Fähigkeit zur ästhetischen *Integration* des Diffusen und Abgespaltenen. Adorno selbst hat eine Kräftigung der ästhetischen Subjektivität als Voraussetzung solcher Öffnung der Kunst zum »Abhub der

Erscheinungswelt« gesehen. Insofern sind schon bei Adorno die offenen Formen der modernen Kunst in Relation gesetzt zu einer Form der Subjektivität, die nicht mehr der rigiden Einheit des bürgerlichen Subjekts entspricht, sondern die die flexiblere Organisationsform einer »kommunikativ verflüssigten« Ich-Identität aufweist. Was Adorno daran gehindert hat, diesen Gedanken noch einen Schritt weiterzudenken, ist, daß er, was er der modernen Kunst zugestanden hat, der modernen Gesellschaft nicht mehr zugestanden hat: daß nämlich die Aufklärung Potentiale der »Erweiterung von Subjektgrenzen« (G. Schwab) ebenso freigesetzt hat wie Potentiale von Verdinglichung, daß also das Schicksal der Aufklärung auch auf dieser Linie noch nicht entschieden ist. Wenn man dies aber voraussetzt, so liegt es nahe, die reflexiv entgrenzten Formen der modernen Kunst in einen nicht nur historischen, sondern auch *funktionalen* Zusammenhang zu bringen mit »Subjektentgrenzungen« auch auf seiten der *Rezeptions*subjekte. Eine entsprechende, großangelegte Untersuchung hat neuerdings G. Schwab vor allem am Beispiel von V. Woolf, J. Joyce, S. Beckett und Th. Pyncheon durchgeführt.[21] Schwabs Idee ist, daß durch die reflexive Öffnung der literarischen Darstellungsformen ein spielerisches Hin und Her von Entdifferenzierung und Differenzierung beim Leser in Gang gesetzt wird, das gleichsam einer realen Erweiterung von Subjektgrenzen zuarbeitet. In diesem Sinne könnte man auch sagen, daß neue Formen der ästhetischen Synthesis in der modernen Kunst auf neue Formen der psychischen und der sozialen »Synthesis« verweisen. Dies ist das *emanzipatorische* Potential der Moderne: ein neuer Typus von »Synthesis« wird absehbar – ästhetisch, psychologisch-moralisch und gesellschaftlich – bei dem das Diffuse, Nicht-Integrierte, das Sinnlose und Abgespaltene eingeholt würde in einen Raum gewaltloser Kommunikation – in den entgrenzten Formen der Kunst ebenso wie in den offenen Strukturen eines nicht mehr starren Individuations- und Vergesellschaftungstypus. Freilich kann man so nur reden, wenn man nicht mehr das An-sich der Kunstform als Erstes und als Schema der Versöhnung nimmt: nur als Medium einer kommunikativen Vermittlung zwischen Subjekten, als produziertes und rezipiertes, kann das Kunstwerk seiner Form nach in Korrespondenz treten zur Veränderung von Subjekt- und Vergesellschaftungsformen.

Ich kann jetzt verdeutlichen, wieso Adorno die »Negativität«, die er der »zerrütteten Einheit« des modernen Kunstwerks zuordnet, einseitig interpretiert hat: Adorno hat in der Theorie ebenso wie in seinen Interpretationen moderner Kunst – etwa in seiner glanzvollen Interpretation des Beckettschen *Endspiel* – in den großen Kunstwerken vor allem einen getreuen Spiegel zunehmenden Sinn- und Subjektzerfalls in der Wirklichkeit gesehen; darin übrigens nicht unähnlich seinem Gegenspieler Lukács. Aber die »Bahn fortschreitender Negativität« der Kunst enthält ja auch das andere Moment: in der »Negation objektiv verpflichtenden Sinns« die anwachsende Kapazität zur ästhetischen *Verarbeitung* dessen, was kraft seiner Versprachlichung im Kunstwerk gerade *nicht* mehr nur negiert, das heißt aus dem Bereich symbolischer Kommunikation ausgeschlossen wird. Gesteht man dies aber zu, so läßt sich der »Prozeß gegen das Kunstwerk als Sinnzusammenhang« nicht mehr umstandslos auf den zunehmenden Sinnzerfall in der kapitalistischen Wirklichkeit verrechnen; ein Einwand, der Lukács nicht weniger träfe als Adorno. Offenbar müßte unterschieden werden zwischen einer – in der Horizontalen der geschichtlichen Zeit zu denkenden – Zunahme des Sinn- und Subjektzerfalls in der Wirklichkeit einerseits und einer – auf die Vertikale der psychischen Organisation zu beziehenden – ästhetischen Aneignung subjekt- und sinnfremder Schichten der Erfahrung andererseits. Daß die moderne Kunst es mit beidem zu tun hat, scheint mir unzweifelhaft; daß aber Adorno das zweite Moment vernachlässigt hat, ist nicht Blindheit – seine Interpretationen des expressionistischen Schönberg beweisen das – sondern Ausdruck einer philosophischen Vorentscheidung.
An dem Zusammenhang zwischen ästhetischer und Subjekt-Entgrenzung wird deutlich, daß das, was Adorno »Ästhetische Synthesis« nannte, am Ende doch wieder sich verknüpfen läßt mit einer real gemeinten Utopie gewaltfreier Kommunikation. Dies gilt aber nur, wenn man der Kunst eine *Funktion im Zusammenhang mit* Formen nicht-ästhetischer Kommunikation bzw. einer realen Veränderung von Selbst- und Weltverhältnissen zuerkennt. Soweit das Kunstwerk auf reale Versöhnung bezogen ist, ist es nicht die scheinhafte Präsenz eines Zustands, der noch nicht ist, sondern die provozierende Latenz eines Prozesses, der im »Umschlag von ästhetischer Erfahrung zu symbolischer oder kommunikativer Handlung« (Jauß) beginnt.

Wenn das Kunstwerk nicht mehr substantiell, sondern funktional auf »Versöhnung« bezogen wird, dann ändert sich auch das Verhältnis von Kunst und Philosophie. Die ästhetische Erfahrung bedarf dann zwar noch der Erhellung durch Interpretation und Kritik, sie bedarf aber nicht mehr einer philosophischen Aufklärung, die ihr sagt, was es mit dem Schein des Schönen auf sich hat. Kunstwerke nämlich, die ihrer *Wirkung* und nicht ihrem *Sein* nach auf Entgrenzungen der Kommunikation deuten, erfüllen ihre aufklärerische, ihre kognitive Funktion gerade nicht auf der Ebene eines philosophischen *Wissens,* sondern auf der Ebene von Selbst- und Weltverhältnissen, wo sie in einen komplexen Zusammenhang von Einstellungen, Gefühlen, Interpretationen und Wertungen eingreifen. In diesem Eingreifen erfüllt sich, was der Erkenntnischarakter der Kunst genannt werden kann. Daß die durch Kunst bewirkte Erkenntnis sich nicht in Worte fassen läßt, liegt nicht am Unzulänglichen des Begriffs, sondern daran, daß die Aufklärung des Bewußtseins, die im Wort ›Erkenntnis‹ gemeint ist, hier kognitive, affektive und moralisch-praktische Aspekte gleichermaßen einbegreift. ›Erkenntnis‹ meint somit ein Resultat, das einem Können näher steht als einem Wissen, einer *Fähigkeit* zu sprechen, zu urteilen, zu empfinden oder wahrzunehmen näher als dem Resultat einer kognitiven Anstrengung.
Wir können jetzt versuchen, Adornos Begriff der Kunstwahrheit ein Stück weit zu dechiffrieren. Mit Koppe gehe ich davon aus, daß von Kunstwahrheit nur geredet werden kann, wenn wir schon wissen, wie davon unabhängig von Wahrheit geredet werden kann.[22] Zum Ausgangspunkt meiner Überlegung möchte ich Habermas' sprachpragmatische Differenzierung des alltäglichen Wahrheitsbegriffs nehmen; in Koppesche Termini gefaßt, bedeutet sie die Unterscheidung zwischen »apophantischer« Wahrheit, »endeetischer« Wahrheit (Wahrhaftigkeit) und moralisch-praktischer Wahrheit. Die drei Wahrheitsbegriffe bezeichnen Geltungsdimensionen der alltäglichen Rede, also ein jedem Sprecher verfügbares Vorverständnis von ›Wahrheit‹. Geht man von einem solchermaßen differenzierten *alltäglichen* Wahrheitsbegriff aus, so bekommt der Begriff der Kunstwahrheit zunächst etwas Rätselhaftes; es zeigt sich jedoch, daß die Kunst auf höchst eigentümliche und komplexe Weise in Wahrheitsfragen *verwickelt* ist: nicht nur darin, daß sie Wirklichkeitserfahrung öffnet, korrigiert und erweitert, sondern auch darin, daß ästhetische »Geltung« –

d. h. ästhetische Stimmigkeit – sich mit Fragen der Wahrheit, der Wahrhaftigkeit und der moralisch-praktischen Richtigkeit auf verschlungene Weise *berührt,* ohne daß sie doch auf eine der drei Wahrheitsdimensionen oder auch auf alle drei gemeinsam sich verrechnen ließe. Die Vermutung liegt nahe, daß die ›Kunstwahrheit‹ – wenn überhaupt – sich nur als ein Interferenzphänomen der verschiedenen Wahrheitsdimensionen wird retten lassen.
Nun hat auch Adorno das Moment der Interferenz verschiedener Wahrheitsdimensionen in der Kunstwahrheit auf seine Weise immer betont; dies kommt bei ihm zum Ausdruck im Gedanken einer Verschränkung des mimetisch-expressiven mit dem rationalen Moment im Kunstwerk ebenso wie in seiner Konstruktion des Zusammenhangs zwischen Wahrheit, Schein und Versöhnung. Die Interpretation der Kunstwahrheit als Interferenzphänomen verschiedener Wahrheitsdimensionen bedeutet insofern zunächst nur eine sprachpragmatische Umformulierung eines für Adorno zentralen Gedankens. Wichtiger als die Umformulierung selbst ist daher die Frage nach den Konsequenzen, die sich aus ihr ergeben. Einige dieser Konsequenzen habe ich oben schon angedeutet, als ich zwischen einem ›funktionalen‹ und einem ›substantiellen‹ Bezug des Kunstwerks auf »Versöhnung« unterschied und im Zusammenhang damit den *praktischen* Charakter der ästhetischen Erkenntis betonte. Bezogen auf unsere frühere Analyse von Adornos Begriff der Kunstwahrheit geht es darum, zwei Aspekte in diesem Begriff der Kunstwahrheit voneinander zu trennen, die bei Adorno dialektisch zusammenfallen: ›Wahrheit$_1$‹ (ästhetische Stimmigkeit) und ›Wahrheit$_2$‹ (gegenständliche Wahrheit). Dies soll nicht heißen, daß ästhetische Stimmigkeit nichts mit ästhetischer Wahrheit zu tun hat; es soll vielmehr heißen, daß die ästhetische Synthesis nicht als solche Versöhnung *bedeutet.* Durch die Substanzialisierung des Versöhnungsbezugs der Kunstwerke wird dieser bei Adorno zu einem zentralen Moment ihres Wahrheits*gehalts.* Aus diesem Grund kann Adorno die Aneignung der Kunstwahrheit nur denken im Sinne einer Transformation der ästhetischen Erfahrung in philosophische Einsicht. Der Versuch einer Entschlüsselung des im Kunstwerk verrätselten Wahrheitsgehalts ist ja für Adorno nichts als der Versuch, die sonst verlorene Wahrheit der Kunst durchs Aussprechen zu retten. *Was* hier jedoch durch begriffliche Artikulation gerettet wird, ist der polemisch-utopische Begriff der

Kunst als solcher, ist der Versöhnungsbezug der Kunst als etwas Wißbares: es ist eine Wahrheit *über* die Kunst und nicht der Wahrheitsgehalt des je einzelnen Kunstwerks. Nur weil für Adorno die beiden Ebenen einer Analyse des *Begriffs* der Kunstwahrheit einerseits und der Aneignung je konkreter Kunstwahrheit andererseits zusammenfallen, muß er ästhetische Erkenntnis als philosophische Einsicht, die Wahrheit der Kunst als philosophische Wahrheit denken. Auf diese Weise tritt bei Adorno am Ende doch die apophantische Dimension der Kunstwahrheit in den Vordergrund: seine Ästhetik wird zur apophantischen Wahrheitsästhetik.

Die sprachpragmatische Deutung der Kunstwahrheit als Interferenzphänomen der verschiedenen Wahrheitsdimensionen bedeutet ersichtlich mehr als eine bloße Umformulierung Adornoscher Einsichten. Erst jetzt wird nämlich eine begriffliche Unterscheidung möglich zwischen dem Wahrheitsgehalt der Kunstwerke und ihrem Bezug auf Versöhnung; zwischen die beiden – bei Adorno dialektisch zusammenfallenden – Pole des Wahrheitsbezugs der Kunst tritt das rezipierende Subjekt als Instanz der Vermittlung. Hiermit muß sich aber auch der Sinn der Rede vom Wahrheitsgehalt der Kunstwerke selbst ändern. Nach dem weiter oben Gesagten steht zu vermuten, daß es sich bei der Kunstwahrheit um ein Wahrheits*potential* der Kunstwerke eher handeln wird als um Wahrheit im wörtlichen Sinne: der Wahrheitsgehalt der Kunstwerke wäre dann der Inbegriff ihrer potentiellen wahrheits*relevanten* Wirkungen oder ihr wahrheits*erschließendes* Potential. Eine solche Deutung der Kunstwahrheit als Inbegriff von Wahrheits*wirkungen* bleibt freilich unbefriedigend, solange nicht das an den ästhetischen Produktionen benannt werden kann, was sie zu *Trägern* von Wahrheitspotentialen macht. Es müßte, mit anderen Worten, noch der Zusammenhang zwischen ästhetischer *Geltung* (Stimmigkeit) und Kunstwahrheit erklärt werden.

Da von Kant bis Adorno noch kein Philosoph den verwickelten Zusammenhang von Schönheit und Wahrheit hat aufklären können, stehen die Aussichten einer sprachpragmatischen Rekonstruktion im Falle dieses Kernstücks von Adornos Ästhetik zugegebenermaßen nicht sehr günstig. Gleichwohl läßt sich, so denke ich, eine Richtung angeben, in der wir nach einer Lösung des Problems suchen können.

Ich möchte das Problem so formulieren: es gibt etwas an der

Kunst, das uns dazu verführt, die Kunstwerke selbst – oder doch viele Kunstwerke – als Träger von Wahrheits*ansprüchen* aufzufassen; und diese *Wahrheits*ansprüche von Kunstwerken hängen zusammen mit ihrem *ästhetischen* Geltungsanspruch. Ich beschränke mich im folgenden auf apophantische und endeetische Wahrheit; also auf apophantische und endeetische »Wahrheitsansprüche« der Kunst.

Geht man von dem intuitiven Kern aus, der dem apophantischen Begriff der Kunstwahrheit zugrunde liegt, so könnte man ihn durch Metaphern wie ›Aufdecken‹, ›Sichtbarmachen‹, ›Zeigen‹ der Wirklichkeit charakterisieren. Die Idee ist, daß Kunst in ausgezeichneter Weise Wirklichkeit ›aufdeckt‹, ›sichtbar macht‹ oder ›zeigt‹. Solche Metaphern sind deshalb so interessant, weil sie in gewissen ästhetischen Zusammenhängen ebenso unvermeidlich wie notorisch irreführend sind. Unvermeidlich deshalb, weil Wirkliches nur gezeigt und nicht gesagt werden kann. Irreführend deshalb, weil, was *sich* zeigt, im Falle der Kunst nur *im* Zeigenden (d. h. im Kunstwerk) sich (so) zeigen (d. h. sinnlich präsent werden) kann, nicht aber als unmittelbar sich zeigende Wirklichkeit. Was im Kunstwerk sich zeigt, muß daher als Sich-Zeigendes erkannt werden aufgrund einer Vertrautheit mit ihm, die nicht den Charakter des anschaulich-Offenbaren hatte; etwa so, als wenn ein Spiegel die Kraft hätte, das ›wahre‹ Gesicht der Menschen zu zeigen: *daß* es ihr *wahres* Gesicht ist, könnten wir nur wissen aufgrund einer Vertrautheit mit ihnen, die erst beim Erscheinen des Spiegelbildes die Gestalt einer unverdeckten sinnlichen Präsenz annimmt. Wir können das ›Wesen‹, das zur ›Erscheinung‹ kommt, in der Erscheinung nur erkennen, wenn wir es als Nicht-Erscheinendes schon *kennen.*

Mit Hilfe der Metaphorik des ›Erscheinens‹ und ›Sich-Zeigens‹ läßt sich zwar nicht der Zusammenhang zwischen ästhetischer Geltung und *Wahrheit*, wohl aber der zwischen ästhetischer Geltung und der wirklichkeitsaufschließenden Kraft des Schönen verdeutlichen: im ästhetischen Gebilde (jedenfalls traditioneller Art) kommt es auf jedes Detail an; so wie eine winzige Veränderung der Gesichtszüge den Ausdruck eines Gesichts verändern würde, so wäre die im ästhetischen Gebilde sich zeigende Wirklichkeit eine andere, wenn die sinnliche Konfiguration des Gebildes sich änderte. Statt dessen könnte man auch sagen, daß ein ästhetisches Gebilde mehr oder weniger treffend, mehr oder weniger treu, mehr oder weniger ›authentisch‹ zur Erscheinung bringt, was in ihm erscheint. Freilich mag die Entscheidung darüber, ob Wirklichkeit angemessen zur Erscheinung kommt, nicht einfach sein. Vielmehr: wenn die intuitiven Urteile kontrovers sind, mögen entsprechende (ästhetische) Diskurse unendlich sein.

In solchen ästhetischen Diskursen geht es um das richtige Verstehen, das richtige Wahrnehmen der ästhetischen Erscheinung; solche Diskurse verweisen zurück – korrigierend, erweiternd – auf die ästhetische Erfahrung selbst. Das ästhetische ›Stimmen‹ muß – in letzter Instanz – *wahrgenommen* werden; und soweit das ästhetische Stimmen mit dem Sichzeigen von Wirklichkeit etwas zu tun hat, muß auch das Kunstwerk *als* im Zeigenden sich zeigende Wirklichkeit wahrgenommen, die Wirklichkeit als sich zeigende *erkannt* werden – erkannt werden nicht im Sinne einer Aussagenwahrheit, sondern wie beim Erkennen oder Wiedererkennen eines Gesichts. Anders aber als beim Wiedererkennen eines Gesichts ist beim ›Wiedererkennen‹ der Wirklichkeit in der ästhetischen Erscheinung (für welches bei Adorno die Formel »So ist es« als zeigende Geste des Kunstwerks steht) das diffus Gekannte, undeutlich Erfahrene und implizit Gewußte zum erstenmal zur Prägnanz einer sinnlichen Erscheinung geronnen. Das diffus schon immer Vorhandene, Vor- und Unterbewußte tritt zusammen zur Erscheinung eines Bildes und wird damit gleichsam ›greifbar‹ – ein Wort, das etymologisch bekanntlich auf *›begreifbar‹* deutet. Oder, was dasselbe ist: die unbegriffene Erfahrung wird aufgehellt, indem sie zu einer Erfahrung zweiter Ordnung sich kondensiert; die Erfahrung wird erfahrbar.

Bisher habe ich gewissermaßen ein Platonisches Modell benutzt, in dem das ›Bekanntsein-mit‹ vor dem ›Wiedererkennen‹ einen gleichsam ontologischen Vorrang hat. Offensichtlich gibt es aber einen Wirkungszusammenhang der Kunst in *beiden* Richtungen: die Kunst *verändert* auch die Erfahrung des Bekannten, so daß es erst *nachträglich* zum Wiedererkannten wird. Die Kunst deckt nicht nur Wirkliches auf, sondern öffnet auch die Augen. Dies Öffnen der Augen (und Ohren), die Veränderung der Wahrnehmung, ist die Heilung einer partiellen Blindheit (und Taubheit), einer Unfähigkeit, Wirklichkeit so wahrzunehmen und zu erfahren, wie wir sie vermittels der ästhetischen Erfahrung zu erfahren und wahrzunehmen lernen. Mit der Kunst der Moderne, so

könnte man wohl sagen, tritt dieses Moment der *Veränderung* der Wahrnehmung durch die ästhetische Erfahrung immer stärker in den Vordergrund.
Was hat dies nun alles mit ästhetischer *Wahrheit* zu tun? Offensichtlich beruht die Versuchung, den Wahrheitsbegriff ästhetisch zu erweitern, auf der wirklichkeitsaufschließenden Kraft des Schönen. Diese *manifestiert* sich in den wahrheitsrelevanten *Wirkungen* der Kunst; zugleich *konfrontiert* sie uns als ästhetischer *Geltungs*anspruch. Nach dem bisher Gesagten können wir erklären, in welchem Sinne dem Wahrheits*potential* der Kunstwerke ein Wahrheits*anspruch* entspricht, der von einem *ästhetischen* Geltungsanspruch nicht zu trennen ist. Was dieser Wahrheitsanspruch sei, können wir offenbar nicht von einem apophantischen Begriff der Kunstwahrheit her erklären; dieser hatte sich vielmehr bei dem Versuch, ihn metaphorisch einzukreisen, ins Ungreifbare verflüchtigt. Wir können aber, wie M. Seel[23] es vorgeschlagen hat, den Zusammenhang zwischen ästhetischem Geltungsanspruch und Wahrheitsanspruch von der Struktur des ästhetischen Diskurses her zu fassen versuchen: im ästhetischen Diskurs wird mit der Frage der ästhetischen Stimmigkeit zugleich die Frage der ›Authentizität‹ der ›Darstellung‹ verhandelt. Ästhetische Diskurse sind die Vermittlungsinstanz zwischen der apophantischen Metaphorik, von der wir ausgegangen waren, und Fragen der ästhetischen Stimmigkeit. Daher können wir auch den Wahrheits*anspruch* der Kunst nur fassen, wenn wir von der komplexen Interdependenz der verschiedenen Wahrheitsdimensionen im ästhetischen Diskurs ausgehen: beim Streit über die Wahrheit und Falschheit ästhetischer Gebilde, die zugleich ein Streit über deren Stimmigkeit sein soll, müssen die Diskutierenden ihre eigene Erfahrung ins Spiel bringen; diese aber läßt sich immer nur in den Dimensionen der Wahrheit, der Wahrhaftigkeit und der moralisch-praktischen Richtigkeit *zugleich* für Argumentationen mobilisieren und in Argumente umformen. Wahrheits*potential* und Wahrheits*anspruch* der Kunst lassen sich somit beide nur erklären unter Rekurs auf die komplexe Interdependenz der verschiedenen Wahrheitsdimensionen in der lebensgeschichtlichen Erfahrung bzw. bei der Bildung und Veränderung von Einstellungen, Wahrnehmungsweisen und Interpretationen.
›Wahrheit‹ läßt sich daher der Kunst nur metaphorisch zuschreiben. Aber diese metaphorische Zuschreibung hat eine Grundlage

in dem Zusammenhang zwischen ästhetischer Geltung und dem Wahrheitspotential der Kunstwerke. Verfolgt man diesen Gedanken weiter, so sieht man, daß der Verschränkung der verschiedenen Wahrheitsdimensionen in den *Wirkungen* der Kunst und im ästhetischen Diskurs eine metaphorische Verschränkung der Wahrheitsdimensionen im Kunstwerk selbst sich zuordnen läßt. Es ist nämlich kein Zufall, daß die Metaphorik des ›Zeigens‹ und ›Sichtbar-Machens‹ sich mühelos verbindet mit der des ›Sagens‹ und ›Zum-Ausdruck-Bringens‹. Wirklichkeit kommt in der Kunst, in einem Ausdruck von F. Koppe, im »Modus der Betroffenheit« zur Erscheinung; das ›Sichtbar-Machen‹ und das ›Zum-Ausdruck-Bringen‹ sind ineinander verzahnt: Als redende, ausdrucksvolle bringt die Kunst diffus Erfahrenes zur Präsenz einer sinnlichen Erscheinung; als sichtbarmachende wird sie beredt, ausdrucksvoll. Daher man denn auch das Immanent-Utopische am ästhetischen Schein in der überwältigenden Erfahrung sehen könnte, daß es gesagt werden und daß »das Entgleitende objektiviert und zur Dauer zitiert« werden kann – wie Adorno es einmal ausgedrückt hat.[24] Soweit die Metaphorik des ›Sagens‹, ›Zum-Ausdruck-Bringens‹ in den Vordergrund tritt, wird man das Authentische des Kunstwerks nicht in Begriffen apophantischer Wahrheit, sondern endeetischer Wahrhaftigkeit zu erklären versuchen; diese Tendenz sehe ich bei Habermas und – bis zu gewissem Grade – bei Koppe. Beide Erklärungsversuche aber, der durch apophantische Wahrheit und der durch endeetische Wahrhaftigkeit, haben die gemeinsame Schwäche, daß sie das Kunstwerk nach Analogie eines speziellen Typus von Redehandlung deuten müssen. Aber im Kunstwerk *sagt* der Künstler nicht (buchstäblich) etwas; daher entscheidet sich das Authentische eines Gebildes nicht an der Frage, ob der Künstler wahrhaftig war – dies, soweit davon die Rede sein kann, *zeigt* sich vielmehr an der Authentizität des Gebildes. Weder Wahrheit *noch* Wahrhaftigkeit lassen sich dem Kunstwerk *unmetaphorisch* zusprechen, wenn man ›Wahrheit‹ und ›Wahrhaftigkeit‹ im Sinne eines pragmatisch differenzierten alltäglichen Wahrheitsbegriffs versteht. Daß sich vielmehr Wahrheit und Wahrhaftigkeit – und sogar normative Richtigkeit – im Kunstwerk *metaphorisch* miteinander verschränken, können wir nur dadurch erklären, daß das Kunstwerk als symbolisches Gebilde mit einem *ästhetischen* Geltungsanspruch zugleich Gegenstand einer *Erfahrung* ist, in der die drei

Wahrheitsdimensionen *unmetaphorisch* miteinander verschränkt sind.
Wenn man den Begriff der Kunstwahrheit in der hier angedeuteten Weise rekonstruiert, lassen sich auch Kantische Einsichten mit Motiven einer Wahrheitsästhetik verbinden. R. Bubner[25] hat in einer Abrechnung mit der Wahrheitsästhetik Kants Begriff des Schönen *gegen* die Wahrheitsästhetik zur Geltung zu bringen versucht. Ich glaube nicht, daß die Alternative zwingend ist, wie sich übrigens auch schon bei Kant im Übergang von der Analytik des Schönen zur Theorie des Kunstschönen andeutet. Kants Idee, die Erfahrung des Schönen durch ein unbestimmt-freies Zusammenspiel von Einbildungskraft und Verstand zu charakterisieren, ist mit einer apophantischen Wahrheitsästhetik sicher unvereinbar, da sich das freie Spiel der *Vermögen* ja gerade *nicht* zur bestimmten Beziehung zwischen Begriff und Anschauung verfestigen soll. Gerade die *Erweiterung* der Vermögen aber, die aus dem lustvoll-freien Zusammenspiel imaginativer und intellektuell-reflexiver Momente in der ästhetischen Erfahrung resultiert, ließe sich auf Wahrheit zurückbeziehen; man muß nur den Charakter der Potentialität, der im Wort ›Vermögen‹ steckt, gleichsam auf den Wahrheitsbegriff zurückwenden: der Wahrheitsgehalt des Kunstwerks wäre eigentlich sein Wahrheits*potential* – in dem Sinne, in dem ich es oben angedeutet habe.
Wenn der ästhetische Schein sich als der Ort jenes lustvoll-freien Zusammenspiels imaginativer und intellektuell-reflexiver Leistungen verstehen läßt, von dem in Erinnerung an Kant gerade die Rede war, dann wäre am Ende auch der utopische »Glanz des Scheins« von Wahrheit und realer Utopie nicht völlig abgesperrt. Der ekstatische Moment der ästhetischen Erfahrung, in dem das Kontinuum der geschichtlichen Zeit aufgesprengt wird, läßt sich nämlich verstehen als die ›Einlaßstelle‹ für Kräfte, welche in ihrem nichtästhetischen Gebrauch ein Kontinuum zwischen Kunst und Lebenspraxis wiederherstellen können. Genau dies hat wohl auch Jauß gemeint, wenn er zwischen »ästhetischem Genuß« und dem »Umschlag von ästhetischer Erfahrung in symbolische oder kommunikative Handlung« einen Zusammenhang herstellt.[26] Wenn aber dieser »Umschlag« von ästhetischer Erfahrung in kommunikatives Handeln, wie eben angedeutet, die Verwicklung des Kunstwerks in Wahrheitsfragen anzeigt, dann kann die Emanzipation des Scheins nicht vollständig sein: insge-

heim kommuniziert er, wie Adorno meinte und doch anders als Adorno meinte, mit Wahrheit und Versöhnung.

VI

Ich habe anzudeuten versucht, in welchem Sinne der Verweisungszusammenhang von Adornos Kategorien der Wahrheit, des Scheins und der Versöhnung sich in einen komplexen Zusammenhang von Kategorien überführen ließe; und zwar derart, daß das philosophische Potential und der kritische Sinn der Adornoschen Ästhetik erhalten bliebe. Wenn man Adornos Rationalitätsbegriff um eine Dimension »kommunikativer Rationalität« erweitert, so läßt sich auch seine Wahrheitsästhetik pragmatisch erweitern. Die Einbeziehung der rezipierenden, kommunizierenden und handelnden Subjekte in den Verweisungszusammenhang von Kunst, Wirklichkeit und Utopie erzeugt einen Effekt der ›Mehrdimensionalität‹ gegenüber den dialektisch-eindimensionalen Konstruktionen Adornos. Es wäre lohnend, unter diesem Gesichtspunkt Fragen der aktionistischen, aleatorischen und populären Kunst zu diskutieren, denen Adorno beinahe a priori kritisch gegenüberstand, ebenso wie die in letzter Zeit vieldiskutierte Frage nach der »Auflösung des Werkbegriffs«. Ich glaube, daß man auch in diesen Fragen zentralen Argumenten Adornos, die heute – nicht ganz ohne Grund – vielfach als ›traditionalistisch‹ kritisiert werden, eine neue Wendung geben müßte. Ich möchte mich aber hier auf zwei Teilprobleme beschränken: die vor allem von P. Bürger in den Vordergrund gerückte Frage nach der Veränderbarkeit der Konstellation von Kunst und Lebenspraxis einerseits und die Frage nach der ästhetischen Valenz populärer Kunstformen andererseits.

1. Wenn man, wie ich es bisher mit Habermas getan habe, die Ausdifferenzierung der Geltungssphären von Wissenschaft, Recht/Moral und Kunst, in denen Probleme jeweils nach einer dem betreffenden Typus der Geltungsansprüche korrespondierenden eigensinnigen Logik bearbeitet werden – wenn man diesen Differenzierungsprozeß, auf der abstrakten Ebene von Geltungsdimensionen gefaßt, als Ausdruck eines irreversiblen kulturellen Lernprozesses begreift, dann können Parolen wie die von der ›Aufhebung der Kunst in der Lebenspraxis‹, wörtlich verstanden,

keinen möglichen Ausweg aus dem Zustand einer ideologischen *Trennung* der Kunst von der Lebenswirklichkeit mehr anzeigen. Das Scheitern der von Bürger analysierten Avantgardebewegungen, die das Ästhetische *unmittelbar* ins Praktische zu wenden versuchten[27], war daher *auch* in einem illusorischen Selbstverständnis begründet. Bürger verweist zu Recht darauf, daß, »was historisch sich als das Ästhetische abgespalten hat, ... nicht zum organisierenden Zentrum einer befreienden und befreiten Lebenspraxis zu machen« ist.[28] Gleichwohl können wir, worauf auch Bürger besteht, die *Konstellationen* veränderbar denken, in denen Kunst und Lebenspraxis zueinander stehen. Die Ausdifferenzierung von Geltungssphären muß unterschieden werden von bestimmten Formen einer *institutionellen* Ausdifferenzierung. Von der bürgerlichen »Institution Kunst« sagt Bürger: »Das voll ausdifferenzierte Teilsystem Kunst ist zugleich eines, dessen einzelne Hervorbringungen tendenziell keine gesellschaftliche Funktion mehr übernehmen.«[29] Entsprechend verlangt Bürger eine *Veränderung* der Institution Kunst bzw. der sie regelnden Normen[30], durch welche die Kunst ihre gesellschaftliche Relevanz zurückgewinnen würde. Bürgers Utopie einer avantgardistischen Transformation der Institution Kunst: »daß alle frei produzierend sich sollten entfalten können«[31], scheint mir aber die »Praxis der Kunst«, ihre gesellschaftliche Funktion, zu stark produktionsästhetisch zu fassen; nur deshalb kann er sie gegen Adorno und gegen die Idee des (großen) Kunstwerks ausspielen.[32] Berücksichtigt man dagegen die rezeptionsästhetische Seite, so leuchtet nicht ein, warum ein Funktionswandel der Kunst, der auf eine demokratische Öffnung der Gesellschaft bezogen wäre, die Ideee des großen Kunstwerks ausschließen sollte. Das Gegenteil scheint mir richtig: ohne die paradigmatischen Hervorbringungen der ›großen‹ Kunst, in denen die Phantasie, das akkumulierte Wissen und Können spezialistisch besessener Künstler sich objektivieren, würde eine demokratisch verallgemeinerte ästhetische Produktion vermutlich zum Kunstgewerbe verfallen. Es gilt hier ähnliches wie für die improvisatorischen Elemente der neuen Musik; Boulez und Dahlhaus haben darauf hingewiesen, daß eine Verabsolutierung des improvisatorischen Moments auf eine Regression der Musik hinauslaufen würde: Improvisation ist in der Regel nur eine variierende Aktivierung dessen, was sich im Gedächtnis sedimentiert hat oder, wie Boulez sagt: »manipulierte

Erinnerung«.[33] Auf das gleiche Problem ist immerhin auch John Cage gestoßen, wenn er sagte: »Ich muß einen Weg finden, die Leute freizusetzen, ohne daß sie albern werden.«[34]
Ich gehe davon aus, daß eine Transformation der »Institution Kunst« nicht eine Abschaffung der »Expertenkultur«[35] bedeuten kann, sondern daß sie auf die Herstellung eines dichteren Netzes von Verbindungslinien zwischen Expertenkultur und Lebenswelt einerseits, Expertenkultur und populärer Kunst andererseits hinauslaufen würde. Barrieren, die einer solchen Wiederannäherung des Ästhetischen und Praktischen, des Hohen und Niederen entgegenstehen, haben freilich schon Adorno und Horkheimer in ihrer Kritik der Kulturindustrie benannt. Wenn man aber der Geschichte so viel Zweideutigkeit zugesteht, daß man ihr auch emanzipatorische Potentiale noch zutraut, dann lassen sich auch in der Wirklichkeit schon Spuren einer Veränderung der Konstellation von Kunst und Lebenswelt entdecken. Von diesen Spuren ausgehend, können wir die Idee eines veränderten Zusammenhangs von Kunst und Lebenswelt verteidigen, bei dem eine demokratische Lebenspraxis die innovativen und kommunikativen Potentiale der Kunst produktiv ausschöpfen würde. Meine Überlegungen zur Kunstwahrheit sollten nicht zuletzt zeigen, daß die Perspektive einer *solchen* Art von ›Aufhebung‹ der Kunst in der Lebenspraxis tatsächlich im Begriff des Kunstschönen angelegt ist: auch hier ließe sich ein Gedanke Adornos aus dem Raum des Undenkbaren in den des Denkbaren zurückholen.
2. Nur einen Seitenblick können wir am Schluß auf das für Adorno überaus wichtige Thema der populären Kunst werfen. Adornos Kritik an Benjamin ist bekannt; seine Jazz-Arbeit läßt sich als Antwort auf Benjamins optimistische Einschätzung der modernen Massenkunst im *Kunstwerk*-Aufsatz verstehen. In einem Brief an Benjamin zum *Kunstwerk*-Aufsatz spricht Adorno zwar noch von Schönberg und dem amerikanischen Film als den »auseinandergerissenen Hälften der ganzen Freiheit«[36], aber er macht schon im gleichen Brief klar, daß er bei der Massenkunst eigentlich *nicht* Freiheit, sondern *nur* noch Verdinglichung und Ideologie entdecken kann. Mit der Formel von den auseinandergerissenen Hälften der Freiheit meint Adorno im Grund noch einmal die Polarität des Sinnlich-Mimetischen und des Geistig-Konstruktiven in der Kunst; die Formel wäre zu beziehen auf einen Passus aus den *Dissonanzen*, wo Adorno die befreiende

Rolle des sinnlich-expressiv-Oberflächlichen für die Entstehung der Wiener Klassik und damit aller großen nach-Bachschen Musik betont:

»So sind die beklagten Momente in die große abendländische Musik eingegangen: der Sinnenreiz als Einfallstor in die harmonische und schließlich die koloristische Dimension; die ungezügelte Person als Trägerin des Ausdrucks und der Vermenschlichung der Musik selber; die »Oberflächlichkeit« als Kritik der stummen Objektivität der Formen ...«[37]

Mozarts *Zauberflöte* ist für Adorno ein Augenblick der vollkommenen Koinzidenz von Ernstem und Leichtem; zugleich aber der letzte. »Nach der ›Zauberflöte‹ haben ernste und leichte Musik sich nicht mehr zusammenzwingen lassen.«[38] Die ›leichte‹ Musik der Gegenwart ist für Adorno nur noch Ideologie, Kulturmüll, Produkt der Kulturindustrie wie der Film. Adornos Urteil über den Jazz ist vernichtend.
Mir will scheinen, daß in solchen Urteilen Adornos nicht nur legitime Kritik an der Kulturindustrie zum Ausdruck kommt, sondern zugleich ein traditionalistisches Vorurteil, das ihn auch daran hinderte, die produktiven Elemente in Benjamins Interpretation der Massenkunst wahrzunehmen. Adorno hatte freilich starke *theoretische* Argumente im Hintergrund: die Grundthesen der *Dialektik der Aufklärung* etwa lassen zwar einen gewissen Spielraum der Ambivalenz für die ›große‹ Kunst übrig, aber keinen mehr für die Massenkultur; diese erscheint als lückenlos eingeordnet in den universellen Verblendungszusammenhang. Aber in diesem Falle scheint mir Benjamins explorierendes, theoretisch weniger abgesichertes und Widersprüche nicht scheuendes Verhalten produktiver: während Adorno die Produkte der neuen Massenkunst an Standards mißt, an denen gemessen sie nur als primitiv, albern oder zynisch erscheinen können, sieht Benjamin aus der Interferenz von neuen technischen Verfahren und neuen Rezeptionsweisen etwas *ästhetisch* Neues entstehen; neue Formen der ästhetischen Verarbeitung von Wirklichkeit, bei der es um die Herstellung eines »Gleichgewichts zwischen Mensch und Apparatur« geht.[39] Die amerikanischen Grotesk-Filme, so Benjamin beispielsweise, bewirken eine »therapeutische Sprengung des Unbewußten«, die im »kollektiven Gelächter« ihren Ausdruck findet.[40] Die technisierte Kunst wird zum Impfstoff gegen kollek-

tive Psychosen, in denen sich sonst die ungeheueren Spannungen, die eine technisierte Wirklichkeit in den Massen erzeugt, entladen müßten.[41]
Benjamin sieht in der technisierten Massenkunst Elemente eines Gegengifts gegen die psychische Zerstörung der Menschen durch die industrielle Gesellschaft; während Adorno sie vor allem als Medien der Anpassung und der psychischen Manipulation begreift. Interessant ist nur die Antithese als solche: ich denke, daß Benjamins Analyse zumindest *Potentiale* der modernen Massenkunst andeutet – vom Film bis zur Rockmusik – die Adorno, aus Traditionalismus wie aus theoretischer Voreingenommenheit, nicht hat sehen können. Die Rockmusik als ›industrielle Volksmusik‹ wäre ein Testfall[42]; ich denke, daß in der Rockmusik und in den Einstellungen, Wahrnehmungsweisen und Fertigkeiten, die sich im Zusammenhang mit ihr herausgebildet haben, ebensoviele Potentiale einer Demokratisierung und Entfesselung der ästhetischen Phantasie stecken wie solche einer kulturellen Regression. Solche *Ambivalenzen* gälte es, wie im Falle des Jazz, gegen Adorno zu verteidigen.
Eine Analyse der modernen Massenkunst, die die Benjaminschen Ansätze aufnähme, hätte nicht zuletzt die explosiven Mischungen aus ästhetischer und politischer Phantasie zu untersuchen, die seit den sechziger Jahren für eine neue Qualität des subversiven Verhaltens von Protestbewegungen charakteristisch geworden sind. Ein Argument von Benjamin ließe sich extrapolieren: Benjamin hatte gemeint, daß im Film der dadaistische Impuls sein künstlerisches Medium gefunden habe; ähnlich könnte man vielleicht argumentieren, daß die Aktionskunst und das Happening erst in den neuen politischen Aktionsformen der Alternativ- und Widerstandsbewegungen den Kontext gefunden haben, in dem sie ihre ästhetische Sprengkraft entfalten können. Diese Politisierung der Ästhetik wäre, auch das schwebte Benjamin vor, scharf von der Ästhetisierung der Politik durch den Faschismus zu unterscheiden: die letztere bedeutet eine Zerstörung der Politik durch Expropriation der Massen, die zur Statisterie eines zynisch inszenierten Spektakels degradiert werden; die erstere dagegen bedeutet, ihrem Potential nach, die Aneignung der Politik durch die gewitzt gewordenen Massen. Idealtypisch gesehen handelt es sich um extreme Gegensätze; daß in den konkreten Phänomenen die Extreme gelegentlich sich berühren, gehört zur Physiognomie

eines gesellschaftlichen Zustandes, der die Möglichkeiten politischer Regression ebenso in sich enthält wie neue Potentiale der Freiheit.

VII

Wir haben uns auf verschiedenen Wegen einer Neuinterpretation des Zusammenhangs der Kategorien Wahrheit, Schein und Versöhnung bei Adorno genähert. Die Kunstwahrheit erschien dabei als ein Interferenzphänomen der verschiedenen Dimensionen des alltäglichen Wahrheitsbegriffs. Dieser freilich ist mit einer utopischen Perspektive verknüpft: der einer gewaltlosen Kommunikation. So wie im Begriff der Kunstwahrheit die drei Wahrheitsdimensionen interferieren, so sind sie in der Idee einer gewaltlosen Kommunikation miteinander zusammengeschlossen. Das *Spezifisch*-Utopische aber, das die Kunst beiträgt, ist in jeder ihrer authentischen Produktionen auch schon gegenwärtig: die Überwindung der Sprachlosigkeit, die sinnliche Kristallisation des in der Erfahrung zerstreuten Sinns. Gewaltlose Kommunikation aber bedeutet nicht die *Aufhebung* der Kunst; das Kunstschöne steht nicht für das Ganze der Vernunft, vielmehr bedarf die Vernunft der Kunst zu ihrer Erhellung: ohne ästhetische Erfahrung und ihre subversiven Potentiale müßten unsere moralischen Diskurse blind und unsere Interpretationen der Welt leer werden.
Am Ende der *Ästhetischen Theorie* hat Adorno eine ähnliche Perspektive zumindest angedeutet; in der Schlußpassage rückt er nämlich die Sprachpotentiale der emanzipierten Kunst gegenüber ihrer »fortschreitenden Negativität« noch einmal in den Vordergrund; es heißt dort: »Möglich, daß einer befriedeten Gesellschaft die vergangene Kunst wieder zufällt, die heute zum ideologischen Komplement der unbefriedeten geworden ist; daß dann aber die neu entstehende zu Ruhe und Ordnung, zu affirmativer Abbildlichkeit zurückkehrte, wäre das Opfer ihrer Freiheit.« (ÄT 386) Bemerkenswert ist nicht, daß Adorno auch hier die moderne Kunst gegen die traditionelle verteidigt, sondern daß er einer emanzipierten Kunst einen Platz in einer emanzipierten Gesellschaft zuweist. In Sätzen wie diesem durchschlägt die Solidarität des Marxisten, des Theoretikers der Moderne und des Künstlers Adorno mit seiner Zeit die begrifflichen Zwänge einer zu engen

Geschichtskonstruktion. Den Wahrheitsgehalt von Adornos Ästhetik aus dieser Geschichtskonstruktion herauszulösen, ihn durch Kritik und Interpretation zu entfalten – wie Adorno dies für die Kunstwerke postulierte –, das war die Intention, die mich bei meinen Überlegungen leitete. Die Anspielung auf Adornos Verständnis der Kunst-Interpretation soll mehr als eine Analogie bezeichnen: Adornos Texte zur Ästhetik haben etwas von Kunstwerken und sind insofern von Interpretationen nicht einzuholen oder zu überbieten. Wohl aber könnten Interpretation und Kritik gegenüber diesen Texten die Funktion eines Vergrößerungsglases übernehmen; vielleicht, liest man die Texte mit Hilfe eines solchen Vergrößerungsglases, werden sich Bedeutungsschichten voneinander lösen und gegeneinander verselbständigen, die für das unbewaffnete Auge miteinander verschmolzen sind. Besser noch wäre das Bild des Stereoskops: es ginge um die Herstellung eines räumlichen Bildes, welches die latente Tiefendimension der Texte sichtbar machte. Bei einer solchen ›stereoskopischen‹ Lektüre Adornos wird man entdecken, daß Adornos unvergleichliche Fähigkeit zur philosophischen Durchdringung von Erfahrung es ihm erlaubt hat, noch im begrenzten Darstellungsmedium einer philosophischen Subjekt-Objekt-Dialektik vieles auszudrücken oder doch mit zu ›be-deuten‹, was der Darstellung in diesem Medium eigentlich sich widersetzt. Meine Überlegungen wollten nicht zuletzt eine Anregung sein zu solchem stereoskopischen Lesen.

Anmerkungen

Die im Text angegebenen Seitenzahlen beziehen sich auf folgende Ausgaben:

DdA: Th. W. Adorno / M. Horkheimer, *Dialektik der Aufklärung*, Amsterdam (Edition »Emigrant« Liechtenstein) 1955
ÄT: Th. W. Adorno, *Ästhetische Theorie*, *Gesammelte Schriften* Bd. 7, Frankfurt/M. 1970
ND: Th. W. Adorno, *Negative Dialektik*, *Gesammelte Schriften* Bd. 6, Frankfurt/M., 1973
PhdNM: Th. W. Adorno, *Philosophie der neuen Musik*, *Gesammelte Schriften* Bd. 12, Frankfurt/M. 1975

1 In: C. Dahlhaus u. a., »Was haben wir von Adorno gehabt?«, *Musica* 24, 1970.

2 S. vor allem H.-K. Metzger, »John Cage oder die freigelassene Musik« und »Anarchie durch Negationen der Zeit oder Probe einer Lektion wider die Moral. Hebel-Adorno-Cage (Variations 1)«, beide in H.-K. Metzger und R. Riehn (Hrsg.), *Musik-Konzepte, Sonderband John Cage,* München 1978; ders., »Musik wozu«, in: R. Riehn (Hrsg.), *H.-K. Metzger, Musik wozu. Literatur zu Noten.* Frankfurt/M. 1980. – Natürlich war Adornos Autorität als Musiktheoretiker schon in den Kreisen der musikalischen Nachkriegsavantgarde niemals unumstritten. Vgl. etwa H. Eimert, »Die notwendige Korrektur«, in: *Die Reihe* 2 (Anton Webern), II. Fassung, Wien 1955, wo Eimert eine scharfe Gegenposition zu Adornos skeptischer Beurteilung der Webern-Nachfolge vertritt. – Auch was die eher »technische« Seite von Adornos musikalischen Analysen betrifft, ist ernstzunehmender Widerspruch laut geworden; vgl. D. la Motte, »Adornos musikalische Analysen«, in: O. Kolleritsch (Hrsg.), *Adorno und die Musik,* Graz 1979. – Demgegenüber hat die bekannte Kontroverse zwischen H.-K. Metzger und Adorno über die serielle Musik (vgl. H.-K. Metzger, »Das Altern der Philosophie der neuen Musik«, in: R. Riehn (1980), S. 61 ff.; »Disput zwischen Theodor W. Adorno und Heinz-Klaus Metzger«, a.a.O. S. 90 ff.), die sich im übrigen im Koordinatensystem von Adornos Musikphilosophie bewegte, retrospektiv an Gewicht verloren.

3 Vgl. Th. Baumeister und J. Kulenkampff, »Geschichtsphilosophie und philosophische Ästhetik. Zu Adornos ›Ästhetischer Theorie‹. *Neue Hefte für Philosophie,* Heft 5, 1973. R. Bubner, »Kann Theorie ästhetisch werden? Zum Hauptmotiv der Philosophie Adornos«. In: B. Lindner und W. M. Lüdke (Hrsg.), *Materialien zur ästhetischen Theorie. Th. W. Adornos Konstruktion der Moderne.* Frankfurt/M. 1980.

4 Auf die Nähe einiger Grundthesen der *Dialektik der Aufklärung* zur Philosophie L. Klages' bin ich durch A. Honneth aufmerksam geworden; vgl. ders.: »›Der Geist und sein Gegenstand‹. Anthropologische Berührungspunkte zwischen der *Dialektik der Aufklärung* und der lebensphilosophischen Kulturkritik«, Ms. 1983. S. hierzu vor allem L. Klages, *Der Geist als Widersacher der Seele,* 4. Aufl. München 1960. Zu den direkten Bezügen zu Nietzsche vgl. neuerdings J. Habermas, »Die Verschlingung von Mythos und Aufklärung. Bemerkungen zur *Dialektik der Aufklärung* – nach einer erneuten Lektüre«, in: K. H. Bohrer (Hrsg.), *Mythos und Moderne,* Frankfurt/M. 1983.

4a Die beiden Traditionslinien haben einen gemeinsamen Ursprung in der Philosophie des deutschen Idealismus. Dies ließe sich vor allem an der Philosophie des frühen Hegel demonstrieren, in der die später auseinanderstrebenden Motive der Kant- und der Kulturkritik noch dicht beieinander liegen.

5 Th. W. Adorno, *Minima Moralia, Gesammelte Schriften* Bd. 4, Frankfurt/M. 1980, S. 281.
6 *Ges. Schriften* Bd. 16, S. 254.
7 A.a.O.
8 A.a.O., S. 252.
9 A.a.O.
10 Vgl. W. Benjamin, *Gesammelte Schriften* Bd. 1.2, Frankfurt 1974, S. 693.
11 *Minima Moralia,* a.a.O., S. 281.
12 J. Habermas, *Theorie des kommunikativen Handelns,* Frankfurt/M. 1981, Bd. 1, »Die Kritik der instrumentellen Vernunft«, insbes. S. 497 ff.
13 A.a.O., S. 523.
14 Vgl. H. R. Jauß, *Ästhetische Erfahrung und literarische Hermeneutik,* Frankfurt/M. 1982, S. 47 ff.
15 Vgl. P. Bürger, *Zur Kritik der idealistischen Ästhetik,* Frankfurt/M. 1983.
16 A.a.O., insbes. S. 67-72 und S. 128-135.
17 A.a.O., S. 67.
18 Vgl. K. H. Bohrer, *Plötzlichkeit. Zum Augenblick des ästhetischen Scheins.* Frankfurt/M. 1981. Darin insbes.: »Ästhetik und Historismus: Nietzsches Begriff des ›Scheins‹«, S. 111 ff., und »Utopie des ›Augenblicks‹ und Fiktionalität. Die Subjektivierung von Zeit in der modernen Literatur«, S. 180 ff.
19 A.a.O., S. 211.
20 Vgl. a.a.O., S. 95.
21 G. Schwab, *Entgrenzungen und Entgrenzungsmythen. Zur Anthropologie der Subjektivität im modernen angloamerikanischen Roman,* Konstanzer Habilitationsschrift 1982.
22 Vgl. F. Koppe, *Grundbegriffe der Ästhetik.* Frankfurt/M. 1983, S. 88.
23 In einer gerade fertiggestellten Konstanzer Dissertation: *Die Kunst der Entzweiung. Zum Begriff der ästhetischen Rationalität.*
24 ÄT, 114.
25 R. Bubner, »Über einige Bedingungen gegenwärtiger Ästhetik«, *Neue Hefte für Philosophie,* Heft 5, 1973.
26 Vgl. H. R. Jauß, a.a.O., S. 51 und 71 ff.
27 Vgl. P. Bürger, *Theorie der Avantgarde.* Frankfurt 1974.
28 P. Bürger, *Zur Kritik der idealistischen Ästhetik,* a.a.O., S. 189.
29 P. Bürger, *Theorie der Avantgarde,* a.a.O., S. 42.
30 Vgl. P. Bürger, *Zur Kritik der idealistischen Ästhetik,* a.a.O., S. 187.
31 A.a.O., S. 135.
32 Vgl. a.a.O., S. 128 ff.

33 Vgl. P. Boulez, *Wille und Zufall. Gespräche mit Célestin Deliége und Hans Mayer*, Stuttgart/Zürich 1976, S. 131.

34 Zitiert nach D. Schnebel, »Wie ich das schaffe?«, in: H.-K. Metzger und R. Riehn (Hrsg.), *Musik-Konzepte. Sonderband John Cage*, München 1978, S. 51.

35 Vgl. hierzu J. Habermas, »Die Moderne – ein unvollendetes Projekt«, Rede aus Anlaß der Verleihung des Adorno-Preises der Stadt Frankfurt, September 1980, in: *Theodor-W.-Adorno-Preis der Stadt Frankfurt am Main.* Hrsg. vom Dezernat Kultur und Freizeit der Stadt Frankfurt am Main 1981, insbes. S. 20 u. 22.

36 Abgedruckt in W. Benjamin, *Gesammelte Schriften*, Bd. 1.3, Frankfurt/M. 1974, S. 1003.

37 Th. W. Adorno, »Über den Fetischcharakter der Musik und die Regression des Hörens«, in: *Gesammelte Schriften*, Bd. 14, S. 17.

38 A.a.O.

39 Vgl. W. Benjamin, »Das Kunstwerk im Zeitalter seiner technischen Reproduzierbarkeit«, *Gesammelte Schriften* Bd. 1.2, Frankfurt/M. 1974, S. 460.

40 Vgl. a.a.O., S. 462.

41 A.a.O.

42 Vgl. hierzu T. Kneif, *Einführung in die Rockmusik*, Wilhelmshaven 1979.

Zur Dialektik von Moderne und Postmoderne:
Vernunftkritik nach Adorno

1. Einleitung

Der Begriff der Postmoderne – oder des Postmodernismus – ist zu einem der schillerndsten Begriffe in der kunst-, literatur- und gesellschaftstheoretischen Diskussion des letzten Jahrzehnts geworden. Das Wort »Postmoderne« gehört zu einem Netzwerk »postistischer« Begriffe und Denkweisen – »post-industrielle Gesellschaft«, »Post-Strukturalismus«, »Post-Empirismus«, »Post-Rationalismus« – in denen, wie es scheint, das Bewußtsein einer Epochenschwelle sich zu artikulieren versucht, dessen Konturen noch unklar, verworren und zweideutig sind, dessen zentrale Erfahrung aber – die vom Tode der Vernunft – das definitive Ende eines historischen Projekts anzudeuten scheint: des Projekts der Moderne, des Projekts der europäischen Aufklärung, oder schließlich auch des Projekts der griechisch-abendländischen Zivilisation. Freilich gleicht das Netzwerk »postistischer« Begriffe und Denkweisen einem Vexierbild: man kann in ihm, bei geeigneter Blickrichtung, auch die Konturen einer radikalisierten Moderne, einer über sich selbst aufgeklärten Aufklärung, eines post-rationalistischen Vernunftbegriffs entdecken. Unter diesem Blickwinkel erscheint der Postmodernismus als entmythologisierter Marxismus, als Fortsetzung des ästhetischen Avantgardismus oder als Radikalisierung der Sprachkritik. Wie bei einem Vexierbild kann man im »postistischen« Denken beides entdekken: das Pathos des Endes und das Pathos einer Radikalisierung der Aufklärung. Aber natürlich ist das Bild des »Vexierbildes« ebenso irreführend wie es geeignet ist, eine erste Verwirrung über die Zweideutigkeit des postmodernistischen Denkens zum Ausdruck zu bringen; *irreführend* ist dies Sprach-Bild, weil es einen verwickelten Zusammenhang intellektueller, ästhetischer, kultureller und gesellschaftlicher Phänomene jenen materiellen Bildern angleicht, in denen der Betrachter je nach Laune oder auch Blickwinkel dies oder jenes entdecken *kann;* der Betrachter spielt mit einer Zweideutigkeit, die ein für allemal im optischen Phänomen selbst lokalisiert ist. Demgegenüber ist das Verstehen einer geschichtlichen Konstellation, selbst wenn die Zweideutigkeit in den Phänomenen selbst lokalisiert ist, von der entdeckenden Betrachtung – oder betrachtenden Entdeckung – eines materiellen Bildes radikal verschieden; aus dem einfachen Grunde, daß der Betrachter der Geschichte selbst angehört und sie deshalb nicht – *betrachten* kann. Ich will sagen, daß sich über den Postmodernismus nichts Erhellendes sagen läßt, es sei denn aus einer – theoretischen, philosophischen, intellektuellen oder moralischen – *Perspektive,* die als eine Art des Blicks *auf* die Gegenwart zugleich ein Selbstverständnis *in* der Gegenwart darstellt, das Selbstverständnis eines zugleich kognitiv, affektiv und volitiv beteiligten Zeitgenossen.

Es handelt sich daher im folgenden nicht um eine Untersuchung zweier wohldefinierter Gegenstände, genannt »Moderne« und »Postmoderne«, sondern eher um die – noch tastende – Erläuterung einer Perspektive, in der die Begriffe des Modernen und Postmodernen in eine bestimmte Relation zueinander treten, und in der charakteristische Zweideutigkeiten im »modernen« und im »post-modernen« Bewußtsein zutage treten werden. Wenn ich zur Charakterisierung dieser Relationen und Zweideutigkeiten und Relationen von Zweideutigkeiten das Wort »Dialektik« gewählt habe, so geschah dies ohne starken philosophischen oder geschichtsphilosophischen Anspruch; das Wort »Dialektik« soll hier ohne die Konnotationen einer sich vollendenden Wahrheit oder einer sich vollendenden Geschichte verstanden werden. Wer will, mag ein solches Verständnis des Wortes »Dialektik« postmodern nennen. Eins schließt der Gebrauch des Wortes »Dialektik« allerdings trivialerweise aus: die Auflösung der Dialektik in eine bloße Energetik, wie Lyotard sie einmal postuliert hat.[1] Und hiermit habe ich bereits begonnen, mein Verständnis des Postmodernismus zu erläutern.

II. Exposition

Wirklich beginnen möchte ich mit einer – einigermaßen willkürlichen – Auswahl von Charakterisierungen des »Post-Modernen«. Ich beabsichtige eine Art von Collage, deren Teile – vor allem Zitate – so aneinandermontiert sind, daß der Postmodernismus

als ein symbolisches oder Begriffs-Feld mit bestimmten Kraftlinien sichtbar wird.
Ihab Hassan, Vertreter des amerikanischen Postmodernismus, hat den »postmodernen Augenblick« durch eine Bewegung des »unmaking« charakterisiert – was wohl annähernd mit »Dekonstruktion« zu übersetzen wäre. »It is an antinomian moment that assumes a vast unmaking in the Western mind – what Michel Foucault might call a postmodern *épistémè*. I say ›unmaking‹ though other terms are now *de rigeur:* for instance, deconstruction, decentering, disappearence, dissemination, demystification, discontinuity, *differance,* dispersion, etc. Such terms express an ontological rejection of the traditional full subject, the *cogito* of Western philosophy. They express, too, an epistemological obsession with fragments or fractures, and a corresponding ideological commitment to minorities in politics, sex and language. To think well, to feel well, to act well, to read well, according to this *épistémè* of unmaking, is to refuse the tyranny of wholes; totalization in any human endeavor is potentially totalitarian.«[2] Der Augenblick der Postmoderne ist eine Art Explosion der modernen *épistémè*, bei der die Vernunft und ihr Subjekt – als Platzhalter der »Einheit« und des »Ganzen« – in Stücke fliegen. Freilich handelt es sich, bei genauerem Hinsehen, um eine seit langem in der Kunst der Moderne begonnene Bewegung der Destruktion – oder Dekonstruktion – des Cogito, der totalisierenden Rationalität: für Hassan sind im postmodernen Bewußtsein die radikalsten Impulse der modernen Kunst versammelt und aufgehoben. »In the arts, we know, the will to unmaking began to manifest itself earlier, around the turn of the century. Yet from the ready-mades of Marcel Duchamp and the collages of Hans Arp to the autodestructive machines of Jean Tinguely and conceptual works of Bruce Nauman, a certain impulse has persisted, turning art against itself in order to remake itself ... But the main point is this: art, in process of ›de-definition‹ as Harold Rosenberg says, is becoming, like the personality of the artist himself, an occurrence without clear boundaries: at worst a kind of social hallucination, at best an opening or inauguration. That is why Jean-Francois Lyotard enjoins readers ›to abandon the safe harbour offered to the mind by the category of ›works of art‹ or of signs in general, and to recognize as truly artistic but *initiatives* or events, in whatever domain they may occur‹.«[3] Die Bewegung gegen die

totalisierende Vernunft und ihr Subjekt ist zugleich eine gegen das autonome Kunstwerk und seine Prätentionen auf Einheit und Sinnfülle; daher muß der avantgardistische Impuls, in dem sich das postmoderne Bewußtsein ankündigt, mit der Einheit des Subjekts und der Einheit des Kunstwerks zugleich den *Begriff* der Kunst – soziologisch gesprochen: die Ausdifferenzierung einer Sphäre der Kunst in der modernen Welt, unterschieden vom Technosystem, von der Politik oder der Wissenschaft – in Frage stellen.

Von den programmatischen Äußerungen Hassans her lassen sich Linien ziehen *sowohl* zu einer neomarxistischen Ästhetik *(nach Adorno) als auch* zu einer »affirmativen« Ästhetik im Sinne von Lyotard. Frederic Jameson sieht in der postmodernistischen Absage an die Gewalttätigkeit einer »totalisierenden« Vernunft die Chance für einen neuen, gleichsam dialogischen, postmodernen Begriff der Totalität. Mit Adorno könnte man, was Jameson im Auge hat, als »gewaltlose Einheit des Vielen« charakterisieren; Jameson selbst spricht von einer »relationship by way of differences«.[4] An die Ästhetik Adornos und Benjamins erinnert auch Jamesons Charakterisierung der Ästhetik des Postmodernismus als einer Ästhetik des »Allegorischen«, »which, an explicit repudiation of the aesthetic of the ›symbol‹, with its organic unity, seeks a designation for a form able to hold radical discontinuities and incommensurabilities together without anulling precisely those ›differences‹«.[5] Wiederum führt die Charakterisierung des »Postmodernen« tief zurück in die Geschichte der ästhetischen Moderne. Postmodernistisch in einem *spezifischen* Sinn könnte man bei Jameson wohl am ehesten seine Konstruktion eines Zusammenhangs zwischen Ästhetik und *Politik* nennen: die Ästhetik des Postmodernismus steht für Jameson in Korrespondenz zur »Mikropolitik« einer de-zentrierten Neuen Linken.[6] Hierbei entspricht die Absage an die organische Totalität des »symbolischen« Kunstwerks der Absage an die praktischen und theoretischen Formen einer Totalisierung von oben, wie sie für die traditionellen marxistischen Arbeiterbewegungen charakteristisch waren. Ein ähnlicher Zusammenhang zwischen postmodernistischer Ästhetik und de-zentrierter, demokratischer Mikropolitik taucht auch in Charles Jencks Charakterisierung der postmodernen Architektur wieder auf. Man könnte sagen, daß der Postmodernismus in der Perspektive Jamesons eine neue, eine

postrationalistische Form der ästhetischen, der psychischen *und* der sozialen »Totalisierung« (»Einheit«, »Synthesis«) bezeichnet; keine bloße Negation der totalisierenden Vernunft und ihres Subjekts, sondern die Bewegung einer »Selbstüberschreitung« (Castoriadis) der Vernunft und des Subjekts.
Eine andere Linie führt vom Postmodernismus Ihab Hassans zur affirmativen Ästhetik Jean-Francois Lyotards. Bei Lyotard – dem Lyotard der frühen siebziger Jahre – hat sich die Kritik an der totalisierenden Vernunft und ihrem Subjekt verdichtet zu einer Absage an den Terror der Theorie, der Repräsentation, des Zeichens, der Idee der Wahrheit. Lyotard kritisiert Adorno, weil er an der Kategorie des Subjekts festhält,[7] und Artaud, weil dieser auf dem »Wege einer verallgemeinerten De-Semiotik« nicht weit genug gegangen sei.[8] Beidemale, so verstehe ich Lyotard, handelt es sich um einen bloß halbherzigen Bruch mit dem repräsentierenden Denken, mit dem Terror der Zeichen und Bedeutungen. Adorno hält am Ausdruck fest, Artaud an einer Grammatik der Gebärden; demgegenüber postuliert Lyotard die Auflösung der »Semiologie« in eine »Energetik«. Für Lyotard sind offenbar Subjekt, Repräsentation, Bedeutung, Zeichen und Wahrheit Glieder einer Kette, die als Ganze zerbrochen werden muß: »Das Subjekt ist ein Produkt der Repräsentationsmaschine, es verschwindet mit ihr.«[9] Weder Kunst noch Philosophie haben es mit »Bedeutung« oder »Wahrheit« zu tun, sondern nur noch mit »Energieumwandlungen«, die nicht mehr »auf ein Gedächtnis, ein Subjekt, eine Identität« zurückgeführt werden können.[10] Die politische Ökonomie geht über in eine libidinale Ökonomie, die vom Terror der Repräsentation befreit ist.
Diese bizarre, wohl von Guattaris und Deleuzes »Anti-Ödipus« inspirierte postmodernistische Konzeption eines Übergangs vom Kapitalismus zum Sozialismus bedeutet im gleichen Atemzug einen Rückgang von Adorno zu Nietzsche wie auch einen Übergang von Adorno zum Positivismus. Indem nämlich für Lyotard an die Stelle einer »Haltung, die durch das Gebäude und die Künstlichkeit der Repräsentation geregelt wird«, der *Wille* tritt – »im Sinne von wollen, was sich vermag«, wird mit der Auflösung der Semiotik in eine »Energetik« der Postmodernismus ununterscheidbar vom Behaviorismus: ein Behaviorismus freilich nicht für Sozialingenieure, wie bei Skinner, sondern ein Behaviorismus zur kulturellen Möblierung eines selbst behavioristisch geworde-

nen sozialen Systems. An diesem Punkt wird der Postmodernismus zur Ideologie des post-histoire; nicht umsonst tritt bei Lyotard – dem Lyotard der siebziger Jahre – das Pathos des Vergessens an die Stelle des Pathos der Kritik.

Es gibt also einen Sinn des Wortes »postmoderner Augenblick«, bei dem das Wort »Augenblick« wörtlich zu nehmen ist: und zwar, um es paradox auszudrücken, als Grundkategorie eines post-historischen Zeitbewußtseins, das mit der Last des platonischen Erbes zugleich Vergangenheit und Zukunft von sich abgeworfen hätte. Unter diesem Blickwinkel kann dann die »Revolution der Postmoderne«, wie Jean Baudrillard es ausgedrückt hat, als »der riesige Prozeß des Sinnverlusts« erscheinen, der »zur Zerstörung aller Geschichten, Referenzen und Finalitäten geführt hat.[11] Baudrillard scheint mir freilich konsequenter zu sein als Lyotard, wenn er in der Geschichtslosigkeit der postmodernen Gesellschaft eine Parodie des schon wirklich gewordenen messianischen Augenblicks erkennt: »Die Zukunft ist schon angekommen, alles ist schon angekommen, alles ist schon da ... Ich meine wir haben weder die Realisierung einer revolutionären Utopie zu erwarten, noch andererseits ein explosives Atomereignis. Die zersprengende Kraft ist schon in die Dinge eingetreten. Es ist nichts mehr zu erwarten ... Das Schlimmste, das erträumte Endereignis worauf jede Utopie baute, die metaphysische Anstrengung der Geschichte usw., der Endpunkt liegt schon hinter uns ...«[12] Demnach wäre die Postmoderne bereits eine vollendete geschichtlich-ungeschichtliche Realität, der Tod der Moderne schon eingetreten. Die postmoderne Gesellschaft aber wäre ein unerwarteter Zwitter aus den Visionen der Systemtheorie und den Träumen von Ludwig Klages: Die Wiedergeburt des archaischen Bilderreichs aus dem Geiste der modernen Elektronik.

Jean-Francois Lyotard vertritt inzwischen eine veränderte, einerseits durch Wittgenstein, andererseits durch die *Kritik der Urteilskraft* inspirierte Version des Postmodernismus, in der sich Züge einer post-empiristischen Epistemologie (Feyerabend), einer modernistischen Ästhetik (Adorno) und eines post-utopischen politischen Liberalismus auf suggestive Weise miteinander verbinden. Der Bruch mit der totalisierenden Vernunft erscheint jetzt zum einen als Abschied von den »großen Erzählungen« – »Emanzipation der Menschheit oder Werden der Idee«[13] – und von dem Fundamentalismus letzter Legitimationen ebenso wie als Kritik an der »totalisierenden« Ersatzideologie der Systemtheorie; zum anderen als Absage an die – komplementären – futurischen Formen des totalisierenden Denkens: Utopien der Einheit, der Versöhnung, der universellen Harmonie. Lyotard vertritt einen irreduziblen Pluralismus der »Sprachspiele« und betont den irreduzibel »lokalen« Charakter aller Diskurse, Einigungen und Legitimationen.[14] Man könnte von einem pluralistischen und »punktualistischen«, einem »post-Euklidischen« Vernunftbegriff sprechen, im Gegensatz etwa auch zu Habermas' konsenstheoretischem Vernunftbegriff, der aus der Perspektive Lyotards als ein letzter großer Versuch erscheint, am »totalisierenden« Versöhnungsdenken des deutschen Idealismus (oder der marxistischen Tradition) – also auch an der Einheit von Wahrheit, Freiheit und Gerechtigkeit – festzuhalten. In einer charakteristischen, wohl nicht zufällig an Feyerabends anarchistische Erkenntnistheorie erinnernden Passage erläutert Lyotard, was »Gerechtigkeit« jenseits des Konsens wäre: »der Vielfalt und Unübersetzbarkeit der ineinander verschachtelten Sprachspiele ihre Autonomie, ihre Spezifizität zuzuerkennen, sie nicht aufeinander zu reduzieren; mit einer Regel, die trotzdem eine allgemeine Regel wäre ›laßt spielen ... und laßt uns in Ruhe spielen‹.«[15]

Bei Lyotard erscheint der Postmodernismus als Resultat einer großen »De-Legitimations«-Bewegung der europäischen Moderne, für welche die Philosophie Nietzsches ein frühes und zentrales Dokument ist;[16] mir scheint, daß die »Suchbewegung« des postmodernen Denkens in Lyotards Philosophie ihren bisher prägnantesten Ausdruck gefunden hat. Auf die Thesen Lyotards werde ich zurückkommen. Vorläufig möchte ich beim Problem der Ästhetik bleiben. Charakteristischerweise erscheint der *ästhetische* Postmodernismus bei Lyotard als radikaler ästhetischer *Modernismus,* gleichsam als ein zum Bewußtsein seiner selbst gekommener Modernismus. »Ein Werk ist nur modern, wenn es zuvor postmodern war. So gesehen bedeutet der Postmodernismus nicht das Ende des Modernismus, sondern den Zustand von dessen Geburt, und dieser Zustand ist konstant.«[17] Schon Adorno hatte die ästhetische Moderne durch den beständigen Zwang zur Innovation und zur Subversion des Sinns, der Form charakterisiert; beides stand für ihn in engstem Zusammenhang mit der Entfesselung der technischen Produktivkräfte in der kapitalistischen Gesellschaft und der hiermit einhergehenden Zerstörung

traditionaler Sinnzusammenhänge: »die Male der Zerrüttung sind das Echtheitssiegel von Moderne ... Explosion ist eine ihrer Invarianten. Antitraditionalistische Energie wird zum verschlingenden Wirbel.«[18] Ganz ähnlich spricht jetzt Lyotard von der »atemberaubenden Beschleunigung«, durch welche er die Entwicklung der ästhetischen Moderne mit ihrer beständigen Hinterfragung der gerade erst etablierten Regeln der literarischen, bildnerischen oder musikalischen Produktion charakterisiert. Für Lyotard – und hierin kündigt sich eine interessante Parallele zu Adorno an, auf die ich zurückkommen werde – ist die Invariante in diesem »antitraditionalistischen Wirbel« eine Ästhetik des Erhabenen. Die Moderne entfaltet sich »im Zurückweichen des Realen und als das erhabene Verhältnis von Denkbarem und Realem«.[19] *Postmodern* aber wäre – und hierin liegt die entscheidende Differenz zu Adorno – der Vollzug dieser Ästhetik des Erhabenen ohne »Trauer« und ohne die »Sehnsucht nach einem Anwesenden«.[20] Die Postmoderne, das wäre somit eine Moderne ohne Trauer, ohne die Illusion einer möglichen »Versöhnung zwischen den Sprachspielen«, ohne die »Sehnsucht nach dem Ganzen und dem Einen, nach der Versöhnung von Begriff und Sinnlichkeit, nach transparenter und kommunizierbarer Erfahrung«[21] kurz, eine den Verlust des Sinns, der Werte, der Realität in fröhlichem Wagnis auf sich nehmende Moderne: Postmodernismus als »Fröhliche Wissenschaft«.
Lyotard spricht in dem Artikel, aus dem ich eben zitiert habe, von einer »Phase der Erschlaffung«. Seine Verteidigung des ästhetischen Modernismus richtet sich nicht zuletzt gegen eine Spielart des Postmodernismus – oder gegen ein Verständnis von »Postmodernismus« – welche ich bisher nicht erwähnt habe. Es ist der Postmodernismus eines neuen Eklektizismus und Historismus in der Architektur, eines neuen Realismus oder Subjektivismus in der Malerei und Literatur, oder eines neuen Traditionalismus in der Musik.
Hier stehen wir vor einer weiteren Entdeckung in unserem Vexierbild »Postmodernismus«. Es entbehrt nämlich durchaus nicht einer inneren Logik, wenn etwa Charles Jencks die Wiederentdeckung der Sprache der Architektur, ihren neuen »Kontextualismus«, »Eklektizismus« oder »Historismus« als spezifisch postmodern bezeichnet: auch der von Jencks' vertretenen Ästhetik einer von der Bauhaustradition sich abwendenden postmoder-

nen Architektur liegt eine Absage an den »Rationalismus« der Moderne zugrunde, zugunsten eines Spiels mit Fragmenten und Zeichen, einer Synthesis des Disparaten, doppelter Kodierungen und demokratischer Planungsformen.[22] Zwischen dem Postmodernismus von Jencks oder Venturi (»Vielfalt und Widerspruch kontra Vereinfachung, Doppeldeutigkeit und Spannung anstelle von Offenheit, ›Sowohl-als-auch‹ anstelle von ›Entweder-oder‹, doppelt funktionierende Elemente anstelle von einfach wirkenden; Kreuzungen anstelle von reinen Elementen; unsaubere Vitalität (oder das problematische ›Ganze‹) anstelle der klaren Einheitlichkeit«[23] und demjenigen von Hassan oder auch Jameson bestehen unzweifelhafte Korrespondenzen. Auf der anderen Seite verweist van Eycks Idee einer »labyrinthischen Klarheit«, die sich polemisch gegen das Ideal der mathematisch-geometrischen Klarheit in der modernen Architektur und Stadtplanung richtet, tief zurück in die Geschichte der ästhetischen Moderne; eine analoge Denkfigur findet sich etwa bei Kandinsky oder Schönberg in der Phase des Übergangs von der gegenständlichen Malerei/tonalen Musik zur abstrakten Malerei/atonalen Musik. Auch hier also erweist sich die postmoderne Avantgarde als eine Fortsetzung der ästhetischen Moderne und nicht als ein Bruch mit ihr – solange man nur, mit Lyotard, Adorno oder auch Barthes – das Element des Bruchs mit den jeweils etablierten »Regeln« als konstitutiv für die ästhetische Moderne selbst begreift.
Freilich tritt, um beim Beispiel der postmodernen Architektur zu bleiben, bei Jencks eine Zweideutigkeit des Postmodernismus zutage, die in den bisher zitierten Äußerungen – jedenfalls in *dieser* Form – verdeckt blieb. Besser gesagt: Jencks beschreibt ein außerordentlich zweideutiges Phänomen, dessen Zweideutigkeit, weil er sie kaum anerkennt, sich in seiner postmodernistischen Ästhetik verdoppelt findet. Man mag an solchen Stellen mit Lyotard gegen den Mißbrauch des Wortes »Postmodernismus« protestieren; ich halte es für richtiger, von einer Zweideutigkeit des »postmodernen Feldes« selber zu sprechen, das auch den Postmodernismus affiziert.
Bei Jencks steckt die Zweideutigkeit vor allem in Begriffen wie »Historismus« und »Eklektizismus«. Jencks sieht zwar die Konnotationen des Erschlaffens, des Rückzugs, des Konservatismus in diesen Begriffen; er glaubt aber, daß in der postmodernen Architektur das Potential eines »authentischen« Eklektizismus

und Historismus liege, verschieden von dem am Ende des vergangenen Jahrhunderts. Schaut man sich aber die Produkte der »real existierenden« postmodernen Architektur an – so wie ja die Postmodernen auf die Produkte des real existierenden Funktionalismus verweisen – so kommt neben Avantgardistischem auch viel Verschnuckeltes, Manieristisches, Pseudo-Bodenständiges und Neo-Gemütliches zum Vorschein. Es zeigt sich hierin, daß der Theoretiker niemals das soziale Umfeld seiner Begriffe unter Kontrolle halten kann; die eklektischen, historistischen und regressiven Tendenzen des Zeitgeistes lassen sich nicht per Definition zu Manifestationen eines »authentischen« Eklektizismus oder Historismus verwandeln – ebensowenig wie sich die Produkte des Vulgärfunktionalismus per Definition in Manifestationen eines *authentischen* Funktionalismus verwandeln lassen. Gräbt man aber tiefer, so enthüllt sich auch in den Ideen des Kontextualismus oder der Erhaltung des »Stadtgewebes« eine neokonservative, eine rein defensive Seite: als ginge es nur noch um die Erhaltung und Wiederaufforstung eines Bestandes, den die Moderne beinahe zerstört hat. An diesem Punkte trifft sich der Neokonservatismus der herrschenden Kultur mit den regressiven und partikularistischen Zügen der Gegenkultur: das kulturelle Projekt der Moderne verendet in Abwehrbewegungen, während die technische Modernisierung der Gesellschaft ungebrochen voranschreitet.

Ich will sagen: Der Postmodernismus – und dies wird bei Jencks nur besonders klar – partizipiert an einer Zweideutigkeit, die tief in den sozialen Phänomenen selbst verankert ist; es ist die Zweideutigkeit einer Kritik der Moderne – und mit »Kritik« meine ich nicht nur die theoretisch artikulierte Kritik, sondern zugleich eine soziale Bewegung des Einstellungs- und Orientierungswandels – in der eine Selbstüberschreitung der Moderne in Richtung auf eine wahrhaft »offene« Gesellschaft sich ebenso ankündigen könnte wie ein Bruch mit dem »Projekt der Moderne« (Habermas) – der natürlich nicht mit einem Ausbruch aus dem stählern-elektronischen Gehäuse der Moderne verwechselt werden dürfte –; d. h. ein Umschlagen der Aufklärung in Zynismus, Irrationalismus oder Partikularismus. Der Postmodernismus, soweit er nicht nur das Programm der neuesten Avantgarde oder aber auch eine bloße theoretische Mode ist, ist das noch unklare Bewußtsein eines Endes und eines Übergangs. Aber eines Endes wovon? Und eines Übergangs wohin? Lyotard hat einige suggestive Antworten auf diese Fragen gegeben, an die sich, wie ich meine, anzuknüpfen lohnt. Meine Anknüpfung wird allerdings zum Teil indirekter Art sein: Nach einigen Überlegungen zu Lyotards Ästhetik des Erhabenen möchte ich das Thema der Vernunft- und Sprachkritik, das in allen Varianten des Postmodernismus eine Rolle spielt, aus einer etwas anderen Perspektive erörtern als Lyotard. Allerdings glaube ich mit Lyotard, daß sich in diesem Thema ein guter Teil der Probleme, Verknotungen und Konvulsionen unseres Zeitalters reflektiert: nur dies, wenn irgendetwas, rechtfertigt es, im Postmodernismus mehr als nur eine flüchtige und schnell zu vergessende Mode zu sehen.

III. Zwischenspiel – Engführung

Ich kehre noch einmal zurück zu Lyotards Bemerkung über »Erschlaffungs«-Tendenzen der Zeit. Man kann Lyotards Bemerkung zustimmen, ohne seiner *Deutung* dieser Tendenzen zuzustimmen. Mein Einwand gegen Lyotards Deutung ist vergleichbar demjenigen, den Peter Bürger vor kurzem gegen Adorno vorgebracht hat. Bürger[24] kritisiert Adornos These, es gebe jeweils einen fortgeschrittensten Stand des ästhetischen »Materials«, von dem her sich entscheide, was in einem gegebenen Augenblick ästhetisch (noch) möglich sei und was nicht. Nun ist Adornos These unscharf genug, um sich verteidigen zu lassen; Bürger spitzt sie so zu, daß sie – darin stimme ich ihm zu – falsch wird. Bürger beruft sich nicht nur auf Adornos Polemik gegen den musikalischen Neoklassizismus Strawinskys in der *Philosophie der Neuen Musik,* sondern auch auf das folgende interessante Adorno-Zitat: »Daß jedoch radikal abstrakte Bilder ohne Ärgernis in Repräsentationsräumen aufgehängt werden können, rechtfertigt keine Restauration von Gegenständlichkeit, die a priori behagt, auch wenn man für Zwecke der Versöhnung mit dem Objekt Ché Guevera erwählt«.[25] Gegen diese, wie es scheint, pauschale Abwertung jeder realistischen Kunst heute verteidigt Bürger neo-realistische Verfahren in der Kunst unserer Tage. Seine These zum Altern der Moderne ist nicht zuletzt eine These zum Altern von Adornos Begriff der Moderne; Bürgers Gegenthese zu Adorno lautet, daß in der vollentwickelten Moderne kein Verfahren und kein Material mehr tabu sein kann: was ästhetisch möglich sein wird, darüber kann nur das individuelle Werk im Kontext einer konkreten Situation entscheiden.[26] Gegen Adornos These vom jeweils avanciertesten Material setzt Bürger einen Pluralismus der Materialien und Verfahrensweisen. Ich halte Bürgers These für richtig, solange man sie – mit Bürger – als Ausdruck einer *Schwierigkeit* ebenso begreift wie als Ausdruck eines neuen *Freiheitsgrades* der modernen Kunst. Freilich wäre Adorno *und* Lyotard darin zuzustimmen, daß es kein ästhetisches Zurück gibt; jeder neue Realismus etwa in der Malerei kann nur ein Realismus *jenseits* des von Photographie und Film verdrängten und überwundenen Akademismus sein – aber gerade in der neueren Malerei gibt es produktive Wechselwirkungen zwischen photographischem und malerischem Realismus, die mit einer Rückkehr zum Akademismus nichts zu tun haben. Demgegenüber scheint Lyotard die These zu vertreten, daß Experiment und realistische Verfahren einander ausschließen. An dieser Stelle zeigt sich eine interessante und verräterische Gemeinsamkeit Lyotards mit Adorno: *beide*, so könnte man sagen, begreifen die »fortschreitende Negation des Sinns« als *das* Prinzip der modernen Kunst. Dies Prinzip ist aber schon bei Adorno vieldeutig: es bedeutet Negation *tradierten* Sinns, Negation der traditionellen Form des Sinn*zusammenhangs* (des organischen Kunstwerkes), und Negation des *ästhetischen* Sinns als Antwort auf die Sinnlosigkeit der kapitalistischen Wirklichkeit.[27] Zwar ändert der Negativismus bei Lyotard gleichsam seine Stoßrichtung, aber seine Vieldeutigkeit ist ganz ähnlich wie bei Adorno. »Negation des Sinns« heißt bei Lyotard Negation der Repräsentation, Negation der Wirklichkeit: »Mit der Moderne geht stets, wie immer man sie auch datieren mag, eine Erschütterung des Glaubens und, gleichsam als Folge der Erfindung anderer Wirklichkeiten, die Entdeckung einher, wie *wenig wirklich* die Wirklichkeit ist.«[28] Realistische Verfahrensweisen – wie die der Photographie und des Films – widersprechen dieser ästhetischen Tendenz zur Entwirklichung der Wirklichkeit, da es in ihnen darum geht, »den Referenten zu stabilisieren, d. h. ihn so auszurichten, daß er als wiedererkennbarer Sinn erscheint«[29]: Realismus als Affirmation »des« Sinns. »Stabilisierung des Referenten«, Affirmation des Sinns aber bedeutet für Lyotard letztlich, daß das ästhetische Urteil dem Erkenntnisurteil angeglichen wird, daß die bestimmende an die Stelle der reflektierenden Urteilskraft tritt.[30] Hat man aber einmal ästhetische Repräsentation mit Begriffsähnlichkeit gleichgesetzt, so kann man Kant als Kronzeugen für die ästhetische Postmoderne anrufen: Was Kant über die regelgebende Funktion des Genies sagt, wird gleichbedeutend mit einem Prinzip fortschreitender Negation der *Repräsentation:* »Ein postmoderner Schriftsteller oder Künstler ist in derselben Situation wie ein Philosoph: der Text, den er schreibt, das Werk, das er fügt, sind grundsätzlich nicht durch schon feststehende Regeln geleitet und können nicht nach Maßgabe eines bestimmenden Urteils beurteilt werden, dadurch, daß auf einen Text oder ein Werk nur bekannte Kategorien angewandt würden. Diese Regeln und Kategorien sind vielmehr, was der Text und das Werk suchen. Künstler und Schriftsteller arbeiten also ohne Regel, sie arbeiten, um die Regel dessen zu erstellen, was *gemacht worden sein wird.*«[31] Die fortschreitende Negation der Repräsentation wird hier gleichbedeutend mit der durch jedes Kunstwerk aufs neue vollzogenen Negation der Regeln, die durch die vorangegangene Kunst etabliert waren.

Lyotard versteht das Nicht-Begriffliche, das Trans-Diskursive der Kunst, so wie Kant es analysiert, im Sinne einer Negation der (ästhetischen) Repräsentation. Der Gedanke dahinter ist, wenn ich es richtig verstehe, daß in jeder ästhetischen Darstellung von *etwas* das als Dargestelltes Erkennbare ein begriffliches Moment am ästhetischen Objekt bezeichnet, so daß etwa ein Bild *als* Bild eines Gegenstandes, eines Interieurs, einer Landschaft noch nicht reines Bild im Sinne eines ästhetischen Objekts ist. Als repräsentative nähme die Kunst gleichsam noch teil an einem Diskurs, den zu überwinden – hinter sich zu lassen – ihre Bestimmung ist. Auf diese Weise wird der Begriff der ästhetischen Darstellung dem der begrifflichen Aussage angenähert und die Negation der Repräsentation zur Bestimmung der Kunst. Hiermit aber erweist sich Kants Begriff des Kunstschönen als ein unhaltbarer Zwitter, ein Zwitter, den die Entwicklung der Kunst selbst in Frage stellen mußte. Es bleibt dann nur noch die Wahl zwischen einer Ästhetik des Ornaments und einer Ästhetik des Erhabenen; vor diese Wahl gestellt, wird jeder, dem die Kunst *wichtig* ist, mit Lyotard für eine Ästhetik des Erhabenen optieren. Die Parallele zwischen Adorno und Lyotard wird jetzt deutlich: beide bestimmen die »fortschreitende Negation des Sinns« – der Repräsentation – als

Prinzip der modernen Kunst; gerade in dieser Bewegung der Negation aber wird für beide die Kunst zur Chiffre des Absoluten. Für Adorno ist das Kunstwerk die scheinhaft-sinnliche Präsenz eines weder Denk- noch Darstellbaren – die Wirklichkeit im Stande der Versöhnung; für Lyotard wird die Kunst zum anspielenden Verweisen auf ein Denkbares, das nicht darstellbar ist. »Sichtbar zu machen, daß es etwas gibt, das man denken, nicht aber sehen oder sichtbar machen kann: das ist der Einsatz der modernen Malerei.« Diese zielt darauf ab, »durch sichtbare Darstellung auf ein Nicht-Darstellbares anzuspielen.«[32] Die Differenz zu Adorno ist unübersehbar; aber ebenso das Gemeinsame: Bei Lyotard fehlt die utopische Valenz des ästhetischen Scheins; aber auch bei ihm ist das, was im Erscheinen sich verbirgt, das Absolute.[33]

Daß das Kunstwerk gerade in der Bewegung der Negation des Sinns – der Repräsentation – das Absolute »be-deute«, ist – vielleicht – ein tiefer Gedanke. Mein Einwand betrifft, sozusagen, die philosophische »Instrumentation« dieses Gedankens bei Lyotard – ebenso wie bei Adorno. Natürlich – das möchte ich hervorheben – hat es etwas Gewaltsames und Unzulässiges, wenn ich hier die Negation des Sinns (Adorno) mit der Negation der Repräsentation (Lyotard) gleichsetze; es geht mir aber um eine *strukturelle* Gemeinsamkeit bei Adorno und Lyotard; und diese besteht in folgendem: bei Adorno wie bei Lyotard ist der Begriff der Kunst negatorisch bezogen auf einen Begriff des Begriffs (des »identifizierenden Denkens«, der »Repräsentation«), der einer Nietzscheanischen Tradition der Sprach- und Vernunftkritik entstammt und der mir sprachphilosophisch höchst problematisch erscheint. Die »tiefengrammatische« Gemeinsamkeit der Sprach- und Vernunftkritik bei Adorno und Lyotard äußert sich in strukturellen Homologien zwischen der Kritik des identifizierenden Denkens und der Kritik des repräsentierenden Zeichens. Es sind diese gemeinsamen sprach- und vernunftphilosophischen Prämissen, die beide, Adorno wie Lyotard, daran hindern, das am Kunstwerk zu benennen, wodurch es *mehr* ist als bloß eine Chiffre des Absoluten; das also, wodurch die Kunst auf eine komplexe Weise auf *Wirklichkeit* bezogen ist.[34] Vielleicht könnte man in beiden Fällen von einem verborgenen Dogmatismus in den Tiefen der Theorie sprechen: So wie bei Adorno die Kunst um ihres eigenen Begriffs willen auf die Negation des Sinns fixiert ist, so ist sie bei Lyotard um ihres Begriffs willen auf die Negation der Repräsentation fixiert. So wie die Kritik des »identifizierenden Denkens« der Schlüssel ist für Adornos Ästhetik der Negativität, so wird die Kritik der Repräsentation zum Schlüssel für Lyotards Ästhetik der Postmoderne. Problematisch sind die gemeinsamen sprach- und vernunftphilosophischen Prämissen Adornos und Lyotards, weil in ihnen eine nicht zu Ende gedachte Kritik an der Logik der Identität zum Ausdruck kommt. Was Lyotard betrifft, so kann ich dies hier nur als Vermutung äußern; was Adorno betrifft, so werde ich darauf zurückkommen.

IV. Durchführung (1): Moderne Kunst und die Negation des Sinns

Lyotard hat in einer jüngst veröffentlichten Arbeit[35] das Thema einer Ästhetik des Erhabenen noch einmal variiert. Neben Kant tritt jetzt Burke als Kronzeuge der ästhetischen Avantgarde. Vor allem aber arbeitet Lyotard jetzt den wirkungsästhetischen Sinn seiner Ästhetik des Erhabenen heraus; damit schließt sich auf überraschende Weise der Kreis zu seinen früheren Thesen über die Notwendigkeit einer Ersetzung der »Semiotik« durch eine »Energetik«. Lyotard verbindet den Gedanken, daß die Kunst sichtbar zu machen sucht, daß es ein Nicht-Sichtbares oder Nicht-Darstellbares gibt, unter Berufung auf Burke mit dem Gedanken, daß die Kunst den Schrecken des Nichts, die Drohung, daß *nichts mehr geschieht,* zugleich vergegenwärtigt und bannt. Die Wirkung der Kunst – und zugleich ihr *Zweck* – wäre dann eine Intensivierung des Lebensgefühls. »Indem die Kunst diese Drohung fernhält, verschafft sie eine Lust der Erleichterung, des Frohseins. Dank der Kunst wird die Seele der Agitation, der Bewegung zwischen dem Leben und dem Tod zurückgegeben, und diese Agitation ist ihre Gesundheit und ihr Leben.«[36]

Die Kunst, als Chiffre des Absoluten, beschwört und bannt zugleich den absoluten Schrecken des Nichts. So dient sie der Steigerung des Lebens. »Das Erhabene ist ... keine Frage der Erhebung ..., sondern der Intensivierung.«[37] Wie bei Adorno, so kann auch bei Lyotard die Kunst am Ende nur *Eines* sagen; die

Konsequenzen aber, die Adorno und Lyotard ziehen, scheinen diametral entgegengesetzt. Für Adorno bedarf die ästhetische Erfahrung der philosophischen Erhellung, damit, was sie bedeutet, ihr Wahrheitsgehalt, nicht verloren geht. Der Zweck der Kunst ist nicht ihre emotionale Wirkung, sondern, durch ihre Wirkungen hindurch, Erkenntnis. Für Lyotard hingegen ist der Zweck der Kunst nicht das Erfassen dessen, was sie bedeutet, sondern, vermögen dessen, was sie be-deutet, die Erzeugung erhabener Gefühle. So scheint in Lyotards Begriff der avantgardistischen Kunst, trotz seines Rückgriffs auf eine Ästhetik des Erhabenen, die »Semiotik« in der Tat durch eine »Energetik« ersetzt.

Bei beiden, bei Adorno und bei Lyotard, wird eine eigentümliche Reduktion in der semiotischen Dimension der Kunst bezahlt durch ein Auseinanderreißen von Semiotik und Energetik: bei Adorno im Sinne einer reinen Wahrheitsästhetik, bei Lyotard im Sinne einer rigorosen Wirkungsästhetik. Die Aufgabe wäre demgegenüber, Semiotik und Energetik, Bedeutung und Wirkung der Kunst so zusammenzudenken, daß mit der Verabsolutierung einer der beiden Seiten zugleich ihr Gegensatz entfiele. Das ästhetische Objekt wäre zu verstehen als ein Kraft- und Spannungsfeld, aber auf der Ebene des Sinns; und als ein Sinnzusammenhang, dessen verstehender Nachvollzug einer Abstrahlung von Energie gleichkommt: Kunst als zweite Natur, aber eine Natur, die zu sprechen beginnt. Diese Vermischung von Metaphern mag befremdlich klingen. Sie kann aber vielleicht als orientierender Hinweis dienen für die folgenden Überlegungen.

Beginnen wir mit der semiotischen Dimension. Von einer semiotischen Dimension der Kunst zu reden, heißt zu sagen, daß es in der Kunst etwas zu verstehen gibt. Wenn es sich aber um ein spezifisch *ästhetisches* Verstehen handeln soll, kann es sich hier nicht um das (pragmatische) Verstehen von Worten oder Sätzen eines literarischen Textes oder um das Erkennen von Gegenständen auf einem Bild handeln: das ästhetische Verstehen betrifft die *Konfiguration* der Elemente eines Gebildes, die »Logik« ihres Zusammenhangs. Nun hatte in der traditionellen Kunst das ästhetische Verstehen eine relativ sichere Basis im Verständnis einer »Sprache« – eines Vokabulars, einer Syntax, von Form- und Ausdruckskonventionen. Seit aber die moderne Kunst auf ihrer

Bahn einer »fortschreitenden Negation des Sinns« auch noch die Bedeutungselemente der ästhetischen Produktion zertrümmert, aufgelöst oder zur Explosion gebracht hat, ist das ästhetische Verstehen zu einem praktischen Problem großen Ausmaßes geworden, während zugleich die *Rede* vom ästhetischen Verstehen immer fragwürdiger geworden scheint. Man könnte, in der Logik von Lyotards Argumenten, zu sagen versucht sein: Indem, mit der »Negation der Repräsentation«, das Problem des ästhetischen Verstehens rein hervorgetreten ist, zeigt sich, daß es sich gar nicht um ein Problem des *Verstehens* handelt; nicht bei dem jedenfalls, worauf es in der Kunst *ankommt*. Demnach gäbe es keinen *Sinn* ästhetischer Gebilde als solcher, der nur verstehend zu erschließen wäre. Demgegenüber möchte ich die These vertreten, daß diese Abwehr eines ästhetischen Verstehensbegriffs ebenso haltlos ist wie die – komplementäre – These des älteren Logischen Positivismus, die traditionelle Metaphysik sei kognitiv gehaltlos, nämlich verkappte oder schlechte Poesie. Was wäre aber das ästhetische Verstehen, wenn es sich nicht auf das Verstehen von Bedeutungselementen, das Verstehen von Aussagen oder auch das Verstehen einer Künstlerintention reduzieren läßt? Adorno hat auf diese Frage eine Antwort gegeben, in der sich bereits eine Verknüpfung von »Semiotik« und »Energetik« andeutet; er sagt vom ästhetischen Verstehensbegriff: »Soll dieser etwas Adäquates, Sachgerechtes anzeigen, so wäre das heute eher als eine Art von Nachfahren vorzustellen; als der Mitvollzug der im Kunstwerk sedimentierten Spannungen, der in ihm zur Objektivität geronnenen Prozesse. Man versteht ein Kunstwerk nicht, wenn man es in Begriffe übersetzt ..., sondern sobald man in seiner immanenten Bewegung darin ist; fast möchte ich sagen, sobald es vom Ohr seiner je eigenen Logik nach nochmals komponiert, vom Auge gemalt, vom sprachlichen Sensorium mitgesprochen wird.«[38] Adorno beschreibt das Verstehen als Teil einer gelingenden ästhetischen Erfahrung; in der ästhetischen Erfahrung sind wir mit Werken konfrontiert, die sich uns öffnen oder verschließen; die uns in ihre Bewegung hineinziehen oder von sich abstoßen; die uns in der Spannung des Mitvollzugs halten oder unseren Blick abprallen lassen. Daß es aber hierbei wirklich um die »Logik« oder den »Sinn« eines Gebildes geht, und nicht bloß um ein weiter nicht erklärbares Gefallen oder Nicht-Gefallen, zeigt sich an der Art und Weise, in der das ästhetische Verstehen sich artikuliert und manifestiert: in Erklärung, Kritik und Kommentar, in der Reproduktion, Aufführung oder Rezitation, und schließlich in der produktiven Umsetzung ästhetischer Erfahrungen – und diese reicht von den unscheinbaren Äußerungen einer Erweiterung unseres Wahrnehmungs-, Begriffs- und Kommunikationsvermögens bis zur Produktion neuer Werke. Adornos Charakterisierung des ästhetischen Verstehens ist somit phänomenologisch richtig, aber unvollständig; hier wie überall darf das Verstehen nicht mit dem Gefühl des Verstehens verwechselt werden, es wird vielmehr letztlich nur in seinen Äußerungen greifbar. Diese sind in einem Raum öffentlicher Kommunikation angesiedelt; daher dann über ästhetisches Verstehen und Nichtverstehen oder, was weitgehend dasselbe ist, über das Gelingen oder Mißlingen von Kunstwerken oder Aufführungen ein Streit mit Argumenten möglich ist. Hiervon zeugt die Existenz einer Kunst- und Literaturkritik.

Ich hatte von einer Erweiterung unseres Wahrnehmungs-, Begriffs- und Kommunikations*vermögens* als einer Manifestation des ästhetischen Verstehens gesprochen. Das erinnert nicht zufällig an Kant. Kant hatte nämlich bereits den hier gemeinten Zusammenhang zwischen einem »semiotischen« und einem »energetischen« Moment im ästhetischen Verstehen im Begriff einer reflexiven ästhetischen Lust zu fassen versucht. Kants Einsicht, übersetzt in unsere Betrachtungsweise, ist, daß die Erweiterung der kognitiven, perzeptiven und affektiven Vermögen nicht nur eine *Wirkung* des ästhetischen Verstehens ist, sondern zugleich dessen Bedingung: das Kunstwerk durchschlägt die Sicherungen unserer gewohnten Wahrnehmungs- und Denkweisen und eröffnet uns dadurch neuen Sinn; nur indem es uns schockiert, ergreift oder in Bewegung versetzt, kann es sich uns verständlich machen. Ästhetische Wirkung und ästhetisches Verstehen sind miteinander verschränkt; das eine ist nicht ohne das andere.

So gesehen, wäre die fortschreitende Negation des Sinns – oder der Repräsentation – in der modernen Kunst nicht zu verstehen als eine irreversible Bewegung der Kunst in Richtung auf ihren reinen Begriff, der sie auf ein Jenseits der signifikativen Sprache oder der gegenständlichen Darstellung verweist. In diesem Jenseits der Sprache und Darstellung könnte das Kunstwerk nur noch als höherer Sinn (Adorno) oder aber als Nicht-Sinn – d. h. reine Energie (Lyotard) – gedacht werden. Es ist aber weder das eine noch das andere. Eher könnte man sagen, daß es die Grenzen des Sinns – des Sag- und Darstellbaren – erweitert, und damit zugleich die Grenzen der Welt und die Grenzen des Subjekts. Noch – oder gerade – in der radikalen Subversion des Sinns in der modernen Kunst ist das Kunstwerk das Potential einer solchen Erweiterung der Sinn- und Subjektgrenzen. Indem nämlich die ästhetische Synthesis bis auf die Ebene der Bedeutungspartikel, der Syntax und Grammatik der Sprache vorangetrieben wird – in der Literatur, der Malerei und der Musik – werden die in das scheinbar festgefügte Gehäuse alltäglichen Sinns eingemauerten explosiven Energien, die sonst nur im Traum, im Witz und in der Psychose sich bemerkbar machen können, zugleich freigesetzt und den Subjekten verfügbar gemacht: gleichsam in die Welt des Sinns aufgehoben. Der Logik des Traums, und damit einer verschütteten archaischen Dimension des alltäglichen Sinns, entspricht es auch, wenn etwa die Trennung von Laut, Wort, Bild und Schrift in Frage gestellt wird; das heißt die Trennung von expressiv-klanglicher Artikulation und konventioneller Signifikation, oder von schriftlich fixierter Rede und bildlicher Darstellung. Zwar gehört die Hörbarkeit zur sprachlichen Rede hinzu: aber nur Kinder müssen laut lesen, um den Sinn eines Textes zu verstehen. Lediglich für die Poesie galt schon immer, daß sie laut werden muß, um ganz erfaßt zu werden; das bloße Lesen von Gedichten ist wie das Lesen von Partituren: nur bei hochentwikkelter auditiver Phantasie kann es das Hören im wörtlichen Sinne überflüssig machen. Romane dagegen können gelesen werden: bei ihnen nähert sich der auditive Überschuß über das vom Normalleser im stummen Vollzug Erfaßbare dem Grenzwert Null. Avancierte literarische Werke wie *Finnegans Wake* hingegen wollen gelesen (»gesehen«) *und* gehört werden: bei ihnen versagt die Verinnerlichung des auditiven Sinns; dem stummen Leser verschließt sich der Text, weil er wie abgeschnitten ist von der Lautdimension der Sprache. Aber anders als im Falle der Poesie reicht auch das Hören des Textes nicht aus: die Verzweigung der Assoziationen ist im Schriftbild verkapselt wie in einem Rebus – sie will mit den Augen entdeckt werden. So wird die Schrift Bild und Partitur zugleich und im Medium *einer* Kunstform – der des Romans – wird virtuell die auf die Trennung von Laut, Bild und Musik aufbauende Trennung der Künste in bildende Kunst, Musik und Dichtung suspendiert.

Im Falle von *Finnegans Wake* geht die Abweichung von den überkommenen Grenzen der Kunst und der Kunstrezeption noch weiter; selbst Adornos Charakterisierung des ästhetischen Verstehens ist hier kaum anwendbar, weil es noch von dem Modell eines einsam sich in ein Objekt versenkenden und im Nachvollzug es wieder erschaffenden Rezipienten ausgeht. Vieles spricht dafür, daß eine solche, gleichsam lineare und totalisierende Rezeption im Falle von *Finnegans Wake* nicht mehr möglich ist, als wäre in diesem Falle auch die Trennung zwischen Rezitation, ästhetischer Kontemplation und der Kommunikation eines Publikums nicht mehr aufrechtzuerhalten. Erst in einer polyphonen und kommunikativ gelösten Lektüre werden die ästhetischen Energien des Textes entbunden; das hat kürzlich Robert M. Adams sehr schön beschrieben[39]: »The *Wake* is peculiar among literary books in being better read by a committee than by one person; it demands the kind of eclectic and polyphonic analysis recommended by saint Paul in 1 Corinthians 14:26. [I. Kor. 14,26: »Was folgt nun daraus, ihr Brüder? So oft ihr euch versammelt, hat ein jeder etwas: ein geistliches Lied, einen belehrenden Vortrag, eine Offenbarung, eine Zungenrede, eine Auslegung – das alles laßt zur Erbauung dienen!«] Studied incongenial company, it imposes its own direction and pace, alternately groping and tentative, then explosive. Thought moves through and around the text in loops, streams, eddies, pools, and abrupt, careening leaps. The book harrows our habits, too; layers of long-settled and apparently stratified verbal convention are shaken and fractured.« In Werken wie *Finnegans Wake* wird der Begriff einer ästhetischen Sinn-Totalität tendenziell unanwendbar; das »Ganze« des Werks wird zu einem ideellen Horizont, nur noch in seinen Fragmenten faßbar und daher zugleich, wie Klaus Reichert bemerkt hat,[40] zu einem multiplen Ganzen. Man könnte das Werk wohl, im Sinne der eingangs zitierten Charakterisierungen des Postmodernen, »postmodern« nennen. Und doch trifft auf es Ezra Pounds Diktum zu, daß »great literature is simply language charged with meaning to the utmost possible degree«[41]; es ist bis zum Äußersten mit Sinn aufgeladen – eine Formulierung übrigens, die das Ineinander von »semiotischen« und »energetischen« Momenten des Ästhetischen bereits in sich enthält.

Dieses Ineinander von semiotischen und energetischen Momenten des Ästhetischen bedeutet nicht zuletzt die Möglichkeit eines »Energieverlusts« von Kunstwerken, die Möglichkeit ihres zumindest temporären Verlöschens und Erkaltens. Dies ist die besondere Form der Sterblichkeit der Kunstwerke. Diese Sterblichkeit der Kunst wird um so greifbarer, je mehr sie sich dem reinen Ereignis annähert. Aber auch das Kunstwerk im traditionellen Sinn hat etwas von diesem Ereignischarakter; deutlich wird dies an der Unwiederholbarkeit von Aufführungen und von ästhetischen Erfahrungen. So könnte das Werk selbst im Prozeß seiner Rezeption verlöschen und zurückbleiben als ausgebrannte Hülle. Es hätte sein Fortleben in den Reaktions- und Wahrnehmungsweisen, die es erst hervorrief, und, vor allem, in der Produktion neuer Werke; erst von diesen her könnte ein frischer Blick zurückfallen auf die längst gestorbenen, der sie wieder erfüllte mit neuem Leben.[42] Freilich ist dies, weil ganz energetisch gedacht, nur die halbe Wahrheit; Benjamin hat in seinem Diktum Kritik sei die »Mortifikation der Werke«, die andere Hälfte der Wahrheit im Auge gehabt. »Mortifikation der Werke: nicht also – romantisch – Erweckung des Bewußtseins in den lebendigen, sondern Ansiedlung des Wissens, in ihnen, den abgestorbenen. Schönheit, die dauert, ist ein Gegenstand des Wissens. Und ist es fraglich, ob die Schönheit, welche dauert, so noch heißen dürfe, – fest steht, daß ohne Wissenswürdiges im Innern es kein Schönes gibt. ... Es ist der Gegenstand der philosophischen Kritik zu erweisen, daß die Funktion der Kunstform eben dies ist: historische Sachgehalte, wie sie jedem bedeutenden Werk zugrundeliegen, zu philosophischen Wahrheitsgehalten zu machen.«[43] Benjamin begreift, wie Adorno nach ihm, die Hinfälligkeit des Schönen wahrheitsästhetisch. Auch dies ist, wie gesagt, nur die halbe Wahrheit. Die Ansiedlung des Wissens in den Kunstwerken ist nur ein Moment im Prozeß der Konsumption – des »Verzehrs« – der Werke. Dieser ist mehr als die Aneignung eines philosophischen Wahrheitsgehalts. Man könnte ihn als einen Prozeß der Inkorporation verstehen; einer Verinnerlichung in einem geradezu somatischen Sinne, das heißt einer Verinnerlichung, die Augen, Ohren, Nerven und Tastgefühl ebenso betrifft wie den geistigen Sinn des Verstehens. So wäre dann der buchstäbliche »Verzehr«, d. h. die Plünderung der Plastik, die Josef Beuys aus Basaltsteinen zur Dokumenta 7 auf dem Kasseler Friedrichsplatz aufhäufte, durch interessierte Bürger, die einzelne Basaltsteine abtransportierten, »um sie jeweils neben ein frisch gepflanztes Eichenbäumchen in den Boden einzulassen«[44], eine Allegorie der Kunst selbst. »Wer den Steinhaufen (dessen eine Spitze auf ein frisch gepflanztes Eichenbäumchen wies, A. W.) als Beuys' Kunstwerk bewahrt wissen will, verhindert seine Wirkung. Wer das Beuys-Werk aber wirksam werden läßt, bringt es zum Verschwinden.«[45] In diesem Sinne ließen wohl manche avantgardistischen Versuche, die Grenzen zwischen Kunst und Leben niederzureißen sich verstehen als allegorisch-provokative Demonstrationen der Seinsweise der Kunst; Erinnerungen daran, daß das Kunstwerk als neutralisiertes Kulturgut aufgehört hat zu existieren.

Ich habe an das komplexe Ineinander von semiotischen und energetischen Aspekten der Kunst erinnert, um der vorschnellen und einseitigen Fixierung einer modernistischen (oder postmodernistischen) Ästhetik auf eine fortschreitende Negation der Repräsentation als index veri et falsi avancierter Kunst entgegenzuarbeiten. Die Kunst ist nicht das Andere der Vernunft oder des Sinns, und sie ist auch nicht schlackenlos reiner Sinn oder die Vernunft in ihrer wahren Gestalt; Kunst ist eher verdichteter, in Bewegung gebrachter, mit neuen oder mit verschütteten Energien aufgeladener Sinn. Es ist nicht der Terror der Zeichen, Bedeutungen, des repräsentierenden Denkens oder der Wahrheit, gegen den sie sich polemisch richtet, sondern der Terror des jeweils etablierten und erstarrten Sinns: nur aus dessen Perspektive erscheint sie als Un-Sinn. In der Fixierung der Kunst auf eine fortschreitende Negation des Sinns steckt insgeheim noch einmal eine lineare Konstruktion des Fortschritts der Kunst. Ein solcher linearer Fortschritt der Kunst aber müßte im Nichts enden, wie Adorno übrigens klar gesehen hat. Die von der letzten Spur der Signifikation, der Repräsentation, des Sinns gereinigte Kunst müßte ununterscheidbar werden entweder vom gefälligen Ornament, vom sinnlosen Geräusch oder von der technischen Konstruktion. Kunst bedeutet aber in Wirklichkeit ebenso eine *Verdichtung* des Sinns wie eine Störung oder Negation abgestorbenen Sinns. Das gilt für die große Kunst der Moderne ebenso wie für die traditionelle. Wenn man daher zwischen der modernen Kunst und einem genuin postmodernistischen Impuls einen Zusammenhang will herstellen können, so wäre er in anderer Weise zu konstruieren als Lyotard dies tut. *Finnegans Wake* war ein erstes Beispiel; ich komme auf den dort angedeuteten Gedanken zurück. Als nächstes aber möchte ich die Untersuchung am anderen Ende aufnehmen: ich möchte im folgenden eine Durchführung des Grundthemas des Postmodernismus – der Kritik der »totalisierenden« Vernunft – versuchen.

v. Durchführung (2): Zur Kritik der Vernunft und ihres Subjekts

Ich möchte zwischen drei Formen der Vernunft- und Subjektkritik unterscheiden, die alle drei in der Rationalismus-Kritik des Postmodernismus eine Rolle spielen, deren *Unterscheidung* aber die Voraussetzung ist für eine Klärung dessen, was man als »moderne« und »postmoderne« Wissensform – vielleicht – wird bezeichnen können. Ich meine (1) die psychologische Kritik (Demaskierung) des Subjekts und seiner Vernunft; (2) die philosophisch-psychologisch-soziologische Kritik der »instrumentellen« oder »identitätslogischen« Vernunft und ihres Subjekts; (3) die sprachphilosophische Kritik der selbst-transparenten Vernunft und ihres sinn-konstitutiven Subjekts. Es ist keineswegs so, daß es sich hier um wechselseitig voneinander unabhängige Formen der Vernunft- und Subjektkritik handelt; aber der *Einsatz* der Kritik ist jeweils ein anderer, und dies gilt es herauszuarbeiten. Ich glaube, daß die Begriffe der Vernunft und des autonomen Subjekts nur deshalb scheinbar so unwiderstehlich in den Strudel der »Logozentrismus«-Kritik hineingezogen worden sind, weil sich in dieser Kritik ganz verschiedene Motive, Einsichten und Entdeckungen miteinander vermischen und einander überlagert haben.

1. Die psychologische Kritik des Subjekts und seiner Vernunft.

Diese Form der Kritik möchte ich hier nur als Vorstufe und als unerläßlichen Hintergrund für die Erörterung der philosophischen Vernunftkritik erwähnen. Die psychologische Kritik – deren zentrale Figur natürlich Freud ist – besteht in dem Aufweis der *faktischen* Ohnmacht oder Nicht-Existenz des »autonomen« Subjekts und in dem Nachweis der *faktischen* Unvernünftigkeit seiner scheinbaren Vernunft. Es handelt sich um die Entdeckung eines *Anderen* der Vernunft im Innern des Subjekts und seiner Vernunft: Als verkörperte Wesen, als »Wunschmaschinen« oder auch – im Sinne des großen Vorgängers Nietzsche – als »Wille zur Macht« wissen die Menschen nicht, was sie wünschen und was sie tun; ihre »Vernunft« ist lediglich ein Ausdruck psychischer und ein Abdruck sozialer Kräfte und Machtverhältnisse, das Ich – der kümmerliche Rest des philosophischen Subjekts – allenfalls ein schwacher Vermittler zwischen den Forderungen des Es und den Drohungen des Über-Ich. Das philosophische Subjekt mit der Fähigkeit zur Selbstbestimmung und zum logon didonai entpuppt sich als ein Virtuose der Rationalisierung, im Dienst ichfremder Mächte; die Einheit und Selbst-Transparenz des Ich erweist sich als Fiktion. Das »de-zentrierte« Subjekt der Psychoanalyse, in anderen Worten, ist ein Kreuzungspunkt psychischer und sozialer Kräfte eher als ein Herr dieser Kräfte; ein Schauplatz einer Kette von Konflikten eher als der Regisseur eines Dramas oder der Autor einer Geschichte. Nicht nur die Psychoanalyse, sondern auch die Literatur unseres Jahrhunderts hat reiches Material beigetragen zur Phänomenologie dieses de-zentrierten Subjekts. Allerdings kreuzen sich in den Experimenten der literarischen Avantgarde, die, wie Axel Honneth es ausgedrückt hat, »darauf abzielen, die Verstrickung der Subjekte in ein ihren individuellen Sinnhorizont übersteigendes Geschehen ästhetisch zu demonstrieren«[46], Motive einer psychologischen mit solchen einer sprachphilosophischen Subjektkritik; bleiben wir deshalb noch für einen Augenblick bei der Psychoanalyse: Freud selbst war noch ein, wenngleich skeptischer, Vertreter des europäischen Rationalismus und der Aufklärung; er erschütterte den Glauben in die Rationalität des Subjekts und in die Kraft der Vernunft, aber doch mit der Absicht, die Kraft der Vernunft und die Kraft des Ichs zu *stärken.* Eine enttäuschte, eine desillusionierte, eine zu Verstand *gekommene,* eine ihrer selbst in Grenzen *mächtige* Menschheit, das war für Freud – und hierin blieb er ein Aufklärer – immer noch der normative Horizont seiner Kritik. Wie immer es sich hiermit verhalten mag: in jedem Fall lassen die Entdeckungen der Psychoanalyse – die ja *so* neu auch wieder nicht waren – in gewissem Sinne noch unentschieden, was mit den Begriffen des Subjekts, der Vernunft oder der Autonomie als *normativen* Begriffen geschehen soll. Es ist schwer zu sagen, in welchem Sinne

Freud selbst an ihnen festgehalten hat; sicherlich *können* es nicht mehr die Begriffe der Cartesianischen oder idealistischen Subjektphilosophie sein; nicht die idealisierenden Annahmen eines Willens zur Wahrheit als intelligibler Alternative zum Lustprinzip oder zum Willen zur Macht, eines gewaltlosen Dialogs als intelligibler Alternative zur symbolischen Gewalt, oder der moralischen Selbstbestimmung als intelligibler Alternative zur Ökonomie der Libido. Denn die Entdeckung Freuds (oder Nietzsches) war ja nicht zuletzt, daß das Begehren (oder der Wille zur Macht) sich als eine nicht-intelligible Kraft im *Innern* des rationalen Arguments und des moralischen Bewußtseins immer schon eingenistet hat. Wohlgemerkt. Eine *Entdeckung* nur dann, wenn man von den Idealisierungen des Rationalismus *ausgeht.* Unentschieden bleibt zunächst, was mit den Begriffen des Subjekts, der Vernunft und der Autonomie geschehen wird, sobald sie aus den rationalistischen Konstellationen herausgelöst worden sind, die von der Psychoanalyse erschüttert wurden.

2. Die Kritik der »instrumentellen« oder »identitätslogischen« Vernunft.

Hier handelt es sich in gewissem Sinne um eine *Radikalisierung* der psychologischen Rationalismus-Kritik; sie erscheint – nicht zum erstenmal – schon bei Nietzsche, wird von Adorno und Horkheimer radikalisiert und wirkt im französischen Post-Strukturalismus weiter. Ich möchte mich an die Version halten, wie sie in der *Dialektik der Aufklärung* entworfen und von Adorno weiterentwickelt wurde. Hierin liegt sicherlich eine Einseitigkeit, aber ich hoffe zugleich eine produktive Eingrenzung des Themas.

In der *Dialektik der Aufklärung* deuten Adorno und Horkheimer – auf den Spuren von Klages und Nietzsche – die erkenntnistheoretische Trias von Subjekt, Objekt und Begriff als ein Unterdrükkungs- und Überwältigungsverhältnis, wobei die unterdrückende Instanz – das Subjekt – zugleich zum überwältigten Opfer wird: die Unterdrückung der inneren Natur mit ihren anarchischen Glücksimpulsen ist der Preis für die Ausbildung eines einheitlichen Selbst, welche um der Selbst-*Erhaltung* und um der Beherrschung der äußeren und der gesellschaftlichen Natur willen not-

wendig war. Das Korrelat des einheitlichen Selbst ist eine objektivierende und systembildende (»totalisierende«) Vernunft, die somit als Medium von Herrschaft gedacht ist: einer Herrschaft über die außermenschliche, die gesellschaftliche und die innermenschliche Natur. Der einheits- und systembildende, der objektivierende und der kontrollierend-instrumentelle Charakter der Vernunft ist nach Adorno und Horkheimer – ähnlich wie schon bei Nietzsche und Klages – angelegt in ihrem diskursiven Charakter, in der Logik des Begriffs; oder vielmehr: in der Zusammengehörigkeit von Begriff, sprachlicher Bedeutung und formaler Logik. »Der Satz vom Widerspruch ist das System in nuce«, heißt es in der *Dialektik der Aufklärung*.[47] Im Zentrum des diskursiven Denkens wird somit ein Stück Gewaltsamkeit sichtbar, eine Überwältigung der Wirklichkeit, ein Abwehrmechanismus, ein Verfahren der Ausgrenzung und Beherrschung, eine Zurichtung der Phänomene zum Zwecke ihrer Kontrolle und Manipulation, ein Zug zum Wahnsystem. In der modernen Naturwissenschaft hat die objektivierende, systematisierende und instrumentalisierende Vernunft ihren klassischen Ausdruck gefunden; aber auch die Wissenschaften vom Menschen lassen sich, wie Foucault gezeigt hat, in diese Ordnung einbeziehen. Schließlich sind auch die Rationalisierungsprozesse der Neuzeit – und damit Bürokratie, formales Recht, alle formalisierten Institutionen der modernen Gesellschaft und Ökonomie – Manifestationen jener einheitsstiftenden, objektivierenden, kontrollierenden und disziplinierenden Vernunft.
Diese Vernunft hat ihr eigenes Bild von Geschichte: es ist das des Fortschritts, wie er vorgebildet ist im unaufhörlichen technischen und ökonomischen Fortschritt der modernen Gesellschaft. Die Vernunft – d. h. ihre Vertreter – verwechselt diesen unbezweifelbaren Fortschritt mit einem Fortschritt zum Besseren; sie meint, es handele sich um einen Fortschritt der Menschheit – zur Vernunft. In diesem Wortspiel klingt an, daß die Aufklärung von der Vernunft anderes und besseres erwartete als bloß technische, ökonomische und administrative Fortschritte: Abschaffung von Herrschaft und Wahn durch Abschaffung von Unwissenheit und Armut. Und wenn wir nur ein wenig über den Buchstaben – nicht den Geist – der *Dialektik der Aufklärung* hinausgehen, können wir hinzufügen: Selbst dort, wo die Zuversicht der Aufklärung bereits als fromme Illusion durchschaut wurde – im nach-Kanti-

schen deutschen Idealismus und bei Marx – wurde der »Totalitarismus« der Vernunft nur noch einmal auf einer höheren Ebene befestigt: nämlich in einer Geschichtsdialektik, deren Vernünftigkeit sich im stalinistischen Terror enthüllte.
Die formale Logik, ich habe es bereits angedeutet, erscheint bei Adorno und Horkheimer nicht mehr als Organon der Wahrheit, sondern nur noch als Vermittlungsglied zwischen dem »systemstiftenden Ich-Prinzip«[48] und dem »zurüstenden« und »abschneidenden« Begriff.[49] Der begrifflich objektivierende, nach dem Gesetz des Nicht-Widerspruchs operierende und systembildende Geist wird schon in seinen Ursprüngen – nämlich kraft der »Spaltung des Lebens in den Geist und seinen Gegenstand«[50] – zur instrumentellen Vernunft. Die Kritik der identitätslogischen ist daher zugleich die Kritik der *legitimierenden* Vernunft. In der Geschlossenheit philosophischer Systeme ebenso wie im Fundamentalismus philosophischer Letztbegründungen kommt das dem Wahn sich nähernde Sicherheits- und Herrschaftsstreben des »identifizierenden Denkens« zum Ausdruck. In den Legitimationssystemen der Neuzeit – von der Erkenntnistheorie bis zur politischen und Moral-Philosophie – steckt ein Rest mythischen Wahns, transformiert in die Gestalt der diskursiven Rationalität.
Es gehört freilich zur *Dialektik* der Aufklärung, daß sie mit dem Mythos sukzessive auch alle jene Legitimationen zerstört – als Wahngebilde nämlich – die die aufgeklärte Vernunft an die Stelle des Mythos gesetzt hatte: die Vernunft wird am Ende positivistisch und zynisch, ein bloßer Apparat der Herrschaft. Dieser Herrschaftsapparat der Vernunft hat sich in der spätindustriellen Gesellschaft zu einem Verblendungszusammenhang verdichtet, in welchem auch das Subjekt – einstmals Träger der Aufklärung – überflüssig wird. Der Mensch »schrumpft zum Knotenpunkt konventioneller Reaktionen und Funktionsweisen zusammen, die sachlich von ihm erwartet werden. Der Animismus hatte die Sachen beseelt, der Industrialismus versachlicht die Seelen.«[51]
Wie man sieht, ist für Adorno und Horkheimer das einheitliche, disziplinierte, innengeleitete Subjekt nur in einem *temporären* Sinne das Korrelat der instrumentellen Vernunft; ihre These also nicht so sehr verschieden von derjenigen Foucaults, wenn er das Subjekt zum Produkt des modernen Diskurses erklärt.[52] Allerdings bedeutet für Adorno und Horkheimer die Desintegration

des Subjekts in der spätindustriellen Gesellschaft einen Vorgang der *Regression.*[53] Hierin wird deutlich, daß »Aufklärung« und »Vernunft« für sie nicht in der destruktiven Dialektik aufgehen, die sie zu rekonstruieren versuchen. Adorno und Horkheimer halten an einem emphatischen Begriff der Aufklärung fest, der für sie eine Aufklärung der Aufklärung über sich selbst, und das heißt eine Aufklärung der identitätslogischen Vernunft über ihren eigenen Herrschaftscharakter und ein »Eingedenken der Natur im Subjekt« bedeuten würde. Das heißt aber auch, daß die Aufklärung sich nur in ihrem eigenen Medium – dem der identitätslogischen Vernunft – korrigieren und selbst überbieten könnte. In diesem Sinne hat Adorno in der *Negativen Dialektik* die Kritik des »identifizierenden Denkens« zu Ende zu denken versucht. Er postuliert dort eine Philosophie, die sich im Medium des Begriffs gegen die verdinglichenden Tendenzen des begrifflichen Denkens kehrt; die »Anstrengung des Begriffs« wird zur »Anstrengung, über den Begriff durch den Begriff hinauszugehen.«[54] Adorno hat diese Idee im Begriff eines »konfigurativen« Denkens zu präzisieren versucht, also der Idee eines »transdiskursiven« Philosophierens, für welches vielleicht die *Minima Moralia* das eindrucksvollste Beispiel in seinem eigenen Werke sind.

Wir haben uns scheinbar weit von der psychologischen Kritik des Subjekts entfernt, obwohl ich behauptet hatte, bei der Kritik der identitätslogischen Vernunft handele es sich um eine Radikalisierung dieser Kritik. Die Begründung dieser These möchte ich jetzt nachholen. *Gegen* diese These scheint zu sprechen, daß Adorno und Horkheimer an der »Einheit« des Selbst festhalten und daß sie die Desintegration dieses einheitlichen Selbst in der spätindustriellen Gesellschaft als einen Vorgang der *Regression* fassen. Der Widerspruch verschwindet, wenn man unter dem »einheitlichen Selbst« nicht das von Freud destruierte autonome Subjekt versteht, sondern – eher im Sinne von Foucault – das Korrelat oder Produkt des »Diskurses der Moderne«: eine disziplinierte-disziplinierende Organisationsform der Menschen als sozialer Wesen. *Gewalt* steht am Ursprung dieses einheitlichen Selbst, und nicht ein Akt autonomer Selbst-Setzung. »Furchtbares hat die Menschheit sich antun müssen, bis das Selbst, der identische, zweckgerichtete, männliche Charakter des Menschen geschaffen war, und etwas davon wird noch in jeder Kindheit wiederholt.«[55] Diesen

Satz hätte wohl auch Freud unterschreiben können. Die Radikalisierung der Freudschen Kritik aber besteht in folgendem: Im Gegensatz zu Freud stellen Adorno und Horkheimer jene Konstellation von Rationalitätsnormen, an welcher Freud noch festhielt – den »zweckgerichteten, männlichen Charakter des Menschen« – als solchen in Frage. Sie bezeichnet für Adorno und Horkheimer einen notwendigen Durchgangspunkt – wie die bürgerliche Gesellschaft für Marx – aber mit der Bestimmung, in einer Selbstüberschreitung der Vernunft aufgehoben zu werden. Aus dem Blickwinkel der *Dialektik der Aufklärung* erscheint somit im Innern der Psychoanlayse ein Stück genau jenes Rationalismus, dessen idealistische Reflexionsform Freud so nachhaltig destruiert hatte.

Ein Rationalismus, aber auch – so könnte man sagen – ein Realismus. Gegenüber diesem Realismus Freuds haben Adorno und Horkheimer nicht mehr erklären können, wie denn eine Selbstüberschreitung der Vernunft – als Aufklärung der Aufklärung über sich selbst – als ein geschichtliches Projekt sollte gedacht werden können, nachdem sie die Marxsche Konzeption einer solchen Selbstüberschreitung der (bürgerlichen) Vernunft durch die Kritik der instrumentellen Vernunft selbst destruiert hatten. Vor einem analogen Problem, wenn ich es richtig verstehe, befand sich auch Foucault. Adorno wird diese Selbstüberschreitung der Vernunft an der Verschränkung von Mimesis und Rationalität in der Philosophie wie im Kunstwerk erläutern; aber einen Bezug zu gesellschaftlichen Veränderungen kann er nur herstellen, indem er die »gewaltlose Synthesis« des Kunstwerks und die konfigurative Sprache der Philosophie – aporetisch – als Aufscheinen eines messianischen Lichts im Hier und Jetzt, als Vorschein realer Versöhnung deutet. Die Kritik der instrumentellen Vernunft bedarf einer Geschichtsphilosophie der Versöhnung, sie bedarf einer utopischen Perspektive, weil sie anders als *Kritik* gar nicht mehr denkbar wäre. Wenn aber die Geschichte zum Andern der Geschichte werden muß, um aus dem Verblendungszusammenhang der instrumentellen Vernunft heraustreten zu können, dann wird aus der Kritik der geschichtlichen Gegenwart eine Kritik des geschichtlichen Seins – letzte Form einer theologischen Kritik des irdischen Jammertals. Die Kritik der identitätslogischen Vernunft scheint auszumünden in die Alternative: Zynismus oder Theologie; es sei denn man wollte sich

zum Anwalt einer fröhlichen Regression oder Desintegration des Selbst machen, ohne Rücksicht auf die Folgen: die Alternative, auf die Klages zusteuerte, und die Adorno und Horkheimer um jeden Preis vermeiden wollten.
Die Kritik der identitätslogischen Vernunft endet in einer Aporie, weil sie noch einmal jene »Sprachvergessenheit« des europäischen Rationalismus wiederholt, die sie selbst in gewissem Sinne schon kritisiert. Die Kritik der diskursiven Vernunft als *instrumenteller* Vernunft ist bei Adorno und Horkheimer insgeheim noch psychologisch, d. h. intentionalistisch gedacht und lebt daher verschwiegenermaßen noch immer vom Modell eines »bedeutungskonstituierenden« Subjekts, das sich in transzendentaler Singularität einer Welt von Objekten entgegen-setzt. Demgegenüber nimmt die Kritik der Identitätslogik, wie ich zeigen werde, eine andere Bedeutung an, wenn die Identitätslogik nicht nur psychologisch demaskiert, sondern sprachphilosophisch eingeholt und hinterfragt wird. Dann zeigt sich nämlich am Grunde auch noch der instumentellen Vernunft eine kommunikative Praxis, die, weil konstitutiv für das Leben des sprachlichen Sinns, sich *weder* auf die Äußerung einer *selbsterhaltenden noch* auf die einer *sinnkonstituierenden* Subjektivität reduzieren läßt. Ich möchte hinzufügen, daß auch die *komplementäre* Reduktion nicht gelingen kann: nämlich die des Subjekts auf das Eigenleben des Diskurses oder des sprachlichen Sinns. Die dritte Form der Vernunft- und Subjekt-Kritik, auf die ich jetzt hinsteuere, die sprachphilosophische, möchte ich mit dem Namen »Wittgensteinsche Reflexion« belegen – weil sie sich zuerst beim späten Wittgenstein in aller Schärfe formuliert findet.

3. Die sprachphilosophische Kritik des sinn-konstitutiven Subjekts

Es handelt sich hier um die philosophische Destruktion rationalistischer Konzeptionen des Subjekts und der Sprache; insbesondere um die Destruktion der Vorstellung, das Subjekt mit seinen Erlebnissen und Intentionen sei die Quelle sprachlicher Bedeutungen. Stattdessen könnte man auch, im Sinne Wittgensteins, von einer Kritik der »Namens-Theorie« der Bedeutung reden: die kritisierte Vorstellung ist, daß sprachliche Zeichen Bedeutung erlangen, indem jemand – ein Zeichenbenutzer – etwas Gegebenem – Dingen, Klassen von Dingen, Erlebnissen, Klassen von Erlebnissen, usw. – ein Zeichen zuordnet, also einer irgendwie »gegebenen« Bedeutung einen Namen zuordnet. Eine solche Namenstheorie der Bedeutung scheint tief im Bewußtsein – oder doch im Vorbewußtsein – der abendländischen Philosophie verankert zu sein; gerade auch im radikalen Empirismus wirkt sie fort bis hin zu Russell. Ich nenne diese Sprachtheorie »rationalistisch«, weil sie – explizit oder implizit – auf dem Primat eines namengebenden, sinn-konstitutiven Subjekts beruht und weil sie, nolens volens, an Idealisierungen der rationalistischen Tradition partizipiert – insbesondere an der Vergegenständlichung von Bedeutungen als »vorhandener« – die die üblichen Unterscheidungen zwischen Rationalismus und Empirismus übergreifen. Die sprachphilosophische Kritik der rationalistischen Sprachtheorie beginnt natürlich nicht mit Wittgenstein und sie endet nicht mit ihm; ich glaube aber, daß in einem gewissen Sinne Wittgenstein ihr wichtigster Exponent in unserem Jahrhundert war. Das Philosophieren Wittgensteins schließt eine neue Form der Skepsis ein, durch welche auch noch die Gewißheiten Humes oder Descartes in Frage gestellt werden; die skeptische Frage Wittgensteins lautet: »Wie kann ich wissen, wovon ich rede? Wie kann ich wissen, was ich meine?«[56] Destruiert wird durch die sprachphilosophische Kritik das Subjekt als Autor und als letzter Richter seiner Sinn-Intentionen.

An dieser Stelle ließe sich einwenden, daß die Kritik, von der ich spreche, doch ein altes Thema sowohl der Hermeneutik als auch des Strukturalismus sei. Dieser Einwand ist in gewissem Sinne richtig. Weil aber die Konsequenzen, die im Falle jener beiden Schulen aus der Kritik an einer intentionalistischen Bedeutungstheorie gezogen wurden, so radikal verschieden sind, möchte ich hier von der strengeren Form der sprachkritischen Reflexion, wie sie sich bei Wittgenstein findet, ausgehen. Daneben werde ich mich auf Überlegungen von Castoriadis beziehen, die, obwohl aus einer anderen Tradition stammend, an einigen zentralen Punkten als Reformulierungen und Weiterführungen Wittgensteinscher Einsichten verstanden werden können.

Um positivistische Reduktionen des Themas, um das es hier geht, von vornherein abzuwehren: Das eigentlich Wichtige ist noch nicht gesagt, wenn man nur darauf hinweist, daß sprachliche

Zeichensysteme gegenüber dem Sprechen und Intendieren der Subjekte etwas Primäres und sie allererst Ermöglichendes sind; diese Entdeckung, für sich genommen, trägt nämlich den Keim für eine neue Mystifikation der »Bedeutungs-Relation« in sich. Entscheidend ist vielmehr die Aufklärung der in den sprachlichen Kodes, in den »Sprachspielen« immer schon verkörperten Bedeutungsrelation selbst; einer »Relation«, die, wie es scheint, die Philosophie vor Wittgenstein kaum zu Gesicht bekommen hat. Die wichtigsten Begriffe Wittgensteins in diesem Zusammenhang sind diejenigen der »Regel« und des »Sprachspiels«; vielmehr: wichtig ist der neue philosophische Gebrauch, den Wittgenstein von diesen Begriffen macht. Die Regeln, um die es hier geht, dürfen gerade nicht verwechselt werden mit dem, was man unter Regeln – regulativen oder konstitutiven – gemeinhin versteht; und Sprachspiele sind keine Spiele, sondern Lebensformen: Ensembles von sprachlichen und nicht-sprachlichen Tätigkeiten, Institutionen, Praktiken und den in ihnen »verkörperten« Bedeutungen. Daß die Begriffe der »Regel« und der »Bedeutung« »ineinander verwoben« sind, äußert sich darin, daß Regeln eine intersubjektive Praxis bezeichnen, in die jemand *eingeübt* werden muß, daß Bedeutungen wesenhaft *offen* sind, und daß, wenn man von *der* Bedeutung eines sprachlichen Ausdrucks spricht, diese »Identität« der Bedeutung mit einem Index der Andersheit – sowohl in Hinsicht auf das Verhältnis zwischen Sprache und Wirklichkeit als auch in Hinsicht auf das Verhältnis zwischen Sprecher und Sprecher – versehen werden muß. Hiermit lösen sich die Bedeutungen als Gegenstände eigener Art auf: als etwas ideal, oder psychologisch, oder in der Wirklichkeit Gegebenes. Aber auch wenn man die Bedeutung als eine Relation auffaßt – »x bedeutet Y« oder »x bezeichnet y« – so zeigt sich, daß es sich um eine Relation eigener Art handelt, die, wie Castoriadis betont hat, in der »überlieferten Logik/Ontologie keinen Platz hat«.[58] Denn schon die einfachste »Bezeichnungsrelation« – wie sie etwa das Wort »Baum« mit den wirklichen Bäumen »verknüpft« – setzt nicht nur den Verweisungszusammenhang einer Sprache voraus, in dem allein sie *als* Bezeichnungsrelation fungieren kann, sie läßt sich vielmehr nicht erläutern, ohne daß man sie schon voraussetzt; was aber hierbei vorausgesetzt wird, ist die Beherrschung einer Regel, die in nichts anderem fundiert ist als in der Praxis ihrer eigenen Anwendung auf eine prinzipiell offene Klasse von

Fällen – so daß die Bezeichnungsrelation eigentlich der Inbegriff dieser Praxis ist und nicht eine Relation zwischen zwei irgendwie – unabhängig voneinander – »gegebenen« Relata. Castoriadis drückt das so aus: »Diese Zusammengehörigkeit, die sich im Unterschied zur ›objektiven‹ oder ›realen‹ als signitive Zusammengehörigkeit bezeichnen ließe, kommt nun offensichtlich nicht ohne das Operationsschema der *Regel* aus und steht mit diesem Schema in einem Verhältnis zirkulärer Implikationen: x *soll* dazu benutzt werden, y zu bezeichnen und nicht z; y *soll* mit x und nicht mit t bezeichnet werden. Dieses Sollen ist ein reines Faktum; seine Verletzung zieht keinen logischen Widerspruch nach sich, ist keine sittliche Verfehlung und kein ästhetischer Verstoß ... Dieses Sollen kann auch nicht durch irgendetwas anderes, sondern nur durch sich selbst ›fundiert‹ werden. Denn zum einen sind Bezeichnungsrelationen gar nicht einzeln zu ›fundieren‹ (sondern allenfalls auf einer zweiten Ebene teilweise zu ›erläutern‹ oder zu ›rechtfertigen‹). Zum anderen läßt sich die Bezeichnungsrelation als solche mitsamt der Regel, die sie zirkulär impliziert, nur aus den Notwendigkeiten des *legein* begründen: Das *legein* muß sich auf eine annähernd eindeutige Bezeichnungsregel stützen können – die es nur unter Voraussetzung des *legein* geben kann.«[59]

Wie die psychologische Kritik, so führt auch die sprachphilosophische Kritik der Subjektphilosophie zur Entdeckung eines »Andern der Vernunft« im *Innern* der Vernunft. Aber es handelt sich um ein jeweils *anderes* »Anderes der Vernunft«. Während es sich bei der psychologischen Destruktion des Subjekts um die Entdeckung libidinöser Kräfte (und sozialer Macht) im Innern der Vernunft handelte, handelt es sich bei der sprachphilosophischen Destruktion des Subjektivismus um die Entdeckung eines aller Intentionalität und Subjektivität vorausliegenden Quasi-Faktums: sprachlicher Bedeutungssysteme, Lebensformen, einer in bestimmter Weise sprachlich erschlossenen Welt. Hierbei handelt es sich nicht um eine Welt ohne Subjekte, ohne menschliches Selbst; es handelt sich vielmehr um eine Welt, in der die Menschen jeweils in verschiedener Weise »sie selbst« oder nicht sie selbst sein können. Man kann diese vorgängige Gemeinsamkeit einer sprachlich erschlossenen Welt auch als ein vorgängiges »Einverständnis« deuten; nur darf man hierbei nicht an »Konventionen« denken, oder an »Konsense«, die entweder rational oder irrational wären. Vielmehr handelt es sich um ein Einverständnis, das konstitutiv ist für die Möglichkeit einer Unterscheidung zwischen wahr und falsch, zwischen vernünftig und unvernünftig. (Wittgenstein, *Philosophische Untersuchungen* §§ 241 und 242: »›So sagst du also, daß die Übereinstimmung der Menschen entscheidet, was richtig und was falsch ist?‹ – Richtig und falsch ist, was Menschen *sagen;* und in der *Sprache* stimmen die Menschen überein. Dies ist keine Übereinstimmung der Meinungen, sondern der Lebensform. – Zur Verständigung durch die Sprache gehört nicht nur eine Übereinstimmung in den Definitionen, sondern (so seltsam dies klingen mag) eine Übereinstimmung in den Urteilen. Dies scheint die Logik aufzuheben, hebt sie aber nicht auf.«)

Weder der strukturalistische Objektivismus noch die neo-strukturalistische Skepsis werden der Grundeinsicht Wittgensteins gerecht: ersterer nicht, weil er die pragmatische Dimension einer nicht-objektivierbaren und wesenhaft offenen Bedeutungsrelation vernachlässigt; letztere nicht, weil sie die Nicht-Objektivierbarkeit und Offenheit sprachlicher Bedeutungen auf das unkontrollierbar Nicht-Identische der je *einzelnen* Zeichenverwendung bezieht. Das Leben des sprachlichen Sinns läßt sich aber weder auf das anonyme Leben sprachlicher Codes reduzieren noch auf ein unkontrollierbares Spiel von Differenzen zurückführen. Was die erste Hälfte dieser These betrifft, so muß ich auf eine Begründung hier verzichten; was die Begründung der zweiten Halbthese betrifft, so werde ich mich mit einigen wenigen Hinweisen begnügen. Die Position, die ich kritisiere, läßt sich – in einer Formulierung von M. Frank – durch die These wiedergeben, daß »aufgrund der strukturellen Möglichkeit der Wiederholung ... der Gebrauch jedes sprachlichen Typs einen Index unkontrollierbarer Veränderung trägt«[60]. Hiermit ist natürlich J. Derrida gemeint.[61] Nun finde ich zwar Derridas Kritik an einer objektivistischen Auffassung sprachlicher Bedeutungen überzeugend: die Identität von Bedeutungen konstituiert sich allererst in der Kette der Zeichenverwendungen; zum Sein sprachlicher Bedeutung gehört die Möglichkeit einer irreduziblen Pluralität von Verwendungsweisen von Worten ebenso hinzu wie die unabschließbare Möglichkeit einer Verschiebung und Erweiterung des sprachlichen Sinns. Aber nur unter Voraussetzung einer intentionalistischen Perspektive kann man behaupten, daß jede *einzelne* Verwendung eines Zeichens einen Index unkontrollierbarer Andersheit trägt. Stellt man dagegen diese intentionalistische Perspektive wirklich in Frage, so läuft eine solche Behauptung auf ein Spiel mit den Worten »Identität« und »Nicht-Identität« hinaus, dem gleichsam der Boden einer sinnvollen Verwendung des Wortes »Bedeutung« fehlt. Es war ja die Pointe von Wittgensteins Überlegungen, daß das Wort »Bedeutung« auf die Praxis einer gemeinsamen Sprachverwendung verweist; was wir *eine* Bedeutung nennen, läßt sich nur durch Rekurs auf eine – tatsächliche oder mögliche – *Pluralität* von Verwendungssituationen eines sprachlichen Zeichens erläutern. Freilich ist die gemeinsame Praxis, um die es hier geht, nur aus der performativen Einstellung von Teilnehmern zugänglich; weder läßt sich das Verstehen von Bedeutungen, Intentionen oder Texten als ein Wissen um objektive (Bedeutungs-) Tatsachen rekonstruieren, noch lassen sich das »Verstehen« oder »Meinen« selbst als objektivierbare psychologische Tatsachen begreifen. Eine objektivistische Betrachtungsweise kann hier nur zu einem radikalen hermeneutischen Skeptizismus führen, durch welchen sich am Ende der Begriff der Bedeutung selbst auflösen muß; auf die skeptische Frage »wie kannst du wissen, was du meinst?« gibt es keine Antwort, solange wir die Frage aus derselben objektivistischen Einstellung heraus zu beantworten versuchen, aus der heraus sie gestellt ist. »The sceptical argument, then, remains unanswered. There can be no such thing as meaning anything by any word. Each new application we make is a leap in the dark; any present intention could be interpreted so as to accord with anything we may choose to do. So there can be neither accord, nor conflict.«[62] Mit dieser Formulierung hat S. Kripke noch einmal das *Problem* zu umreißen versucht, vor das sich Wittgenstein gestellt sah. Wittgensteins *Lösung* des Problems aber besteht, wie Kripke zeigt, nicht eigentlich in einer Beantwortung der skeptischen Frage, sondern in einer Abwehr des objektivistischen Frageansatzes, der ihr zugrundeliegt. Die Frage läßt sich nur beantworten, wenn wir uns überlegen, welche Rolle das Zuschreiben von Bedeutungen, von Intentionen oder von »Verstehen« in unserer Sprache spielt. Die Auflösung des skeptischen Paradoxes verlangt eine Änderung der Blickrichtung; indem Wittgenstein uns an die Grammatik der Worte »Bedeutung«, «Meinen« und »Verstehen« erinnert, macht er zugleich klar, daß aus der Perspektive von Teilnehmern am

Sprachspiel die radikale hermeneutische Skepsis ihren Boden verliert.[63]
Ich will sagen: Das Wort »Bedeutung« verweist auf den Begriff der Regel bzw. den der Verwendungs*weise*. Deshalb macht der Gedanke keinen Sinn, daß in jeder »Wiederholung« eines sprachlichen Zeichens eine unkontrollierbare Verschiebung der Bedeutung stattfindet; denn: »Es kann nicht ein einziges Mal nur ein Mensch einer Regel gefolgt sein«.[64] Aus demselben Grunde läßt sich aber die »Anarchie des Sinns« auch nicht durch die unvermittelte Wiedereinführung eines »interpretierenden« Subjekts steuern, wie M. Frank dies *gegen* Derrida zu tun versucht hat. Franks Gegenthese gegen Derrida: »Die Menschen gelangen zu den Bedeutungen der Zeichen, die sie verwenden, *indem* sie sie in Situationen jeweils spezifisch (d. h. nie ein für allemal) interpretieren« bezeichnet keinen Ausweg aus der Position des hermeneutischen Skeptikers; sie erscheint eher wie eine Wiederholung von Prämissen, die dieser destruiert hatte. Wenn man nämlich annimmt, daß die sprachlichen Zeichen nur durch einen Akt der Interpretation ihren jeweils spezifischen Sinn gewinnen, dann macht man insgeheim doch wieder das »Meinen« zur Quelle der Bedeutungen; es erscheint dann unbegreiflich, wie das, was *ich* meine, von einem *anderen* sollte verstanden werden können; ja, es erscheint unbegreiflich, wie ich selbst es sollte verstehen können. Die Rolle des »interpretierenden Subjekts« und die Offenheit sprachlicher Bedeutungen verstehen wir erst dann wirklich, wenn wir die unabsehbare Veränderung und Erweiterung sprachlichen Sinns im Zuge der Applikation grammatischer Regeln mit einem Index der Allgemeinheit versehen denken. Das nämlich, *was* sich verändert – die sprachlichen Bedeutungen – trägt selbst einen solchen Index der Allgemeinheit. Die neue Verwendung eines Wortes indiziert eine neue Verwendungs*weise*.
Die sprachphilosophische Dezentrierung des Subjekts legitimiert weder einen hermeneutischen Objektivismus noch einen hermeneutischen Anarchismus. Viel weniger noch rechtfertigt sie irrationalistische Konsequenzen, wie sie im Umkreis des Postmodernismus gelegentlich aus ihr gezogen werden: Die sprachphilosophische läßt sich mit der psychologischen Kritik des Subjekts nicht einfach kurzschließen. Die philosophische Dezentrierung des Subjekts bedeutet ja nicht – wie seine psychologische Dezentrierung – eine Kränkung unseres Narzißmus; sie bedeutet viel-

mehr die Entdeckung einer gemeinsamen, vorgängig »erschlossenen« Welt im Innern der Vernunft und des Subjekts (aller *möglichen* Formen des Subjekts). Diese gemeinsame, sprachlich erschlossene Welt aber ist aus einem anderen Stoff, als daß sie sich auf eine Ökonomie der Libido oder einen Willen zur Macht zurückführen ließe. Der Körper, der Wille zur Macht, das Begehren sind in dieser Welt *anwesend* – aber als sprachlich erschlossene und immer wieder sprachlich zu erschließende. Auch die Gewalt ist in dieser Welt anwesend, aber ebenfalls als sprachlich erschlossene und daher immer nur als unterschieden vom Anderen ihrer selbst: von der gewaltlosen Kommunikation, vom Dialog, von der Offenheit der Zuwendung, von der freiwilligen Kooperation. In gewissem Sinne muß man hier, wie Wittgenstein es forderte, die Worte auf ihren normalen Gebrauch zurückführen; dann wird nämlich klar, daß die Philosophie der totalen Demaskierung noch von derselben rationalistischen Metaphysik lebt, die sie zu destruieren vorgibt. Wenn man dagegen die Unterscheidungen zwischen Wirklichkeit und Schein, zwischen Wahrhaftigkeit und Lüge, zwischen Gewalt und Dialog, zwischen Autonomie und Heteronomie gleichsam vom Himmel auf die Erde zurückholt – wo allein sie ihren Ort haben – dann kann man nicht mehr behaupten (außer im Sinne einer schlechten Metaphysik): *Der* Wille zur Wahrheit sei ein Wille zur Macht; *der* Dialog sei symbolische Gewalt; *die* wahrheitsorientierte Rede sei Terror; *das* moralische Bewußtsein sei ein Reflex verinnerlichter Gewalt; oder *der* autonome Mensch sei *entweder* eine Fiktion *oder* ein Mechanismus der Selbstunterdrückung *oder* ein patriarchalischer Bastard usw. Mit anderen Worten: die sprachphilosophische Kritik des Rationalismus und Subjektivismus bietet zwar einen Anlaß, über »Wahrheit«, »Gerechtigkeit« oder »Selbstbestimmung« in neuer Weise nachzudenken; zugleich aber wird sie uns mißtrauisch machen gegen jene, die die psychologische Kritik des Subjekts nietzscheanisch ins Affirmative wenden wollen – also gegen die Propagandisten eines neuen Zeitalters, das die Last des Platonischen Erbes von sich geworfen hätte, in dem die Rhetorik an die Stelle des Arguments, der Wille zur Macht an die Stelle des Willens zur Wahrheit, die Kunst der Worte an die Stelle der Theorie und die Ökonomie des Begehrens an die Stelle der Moral getreten wäre. *Das,* so möchte man sagen, haben wir doch schon weitgehend.

VI. Durchführung (3)
Zur Metakritik der Kritik der identitätslogischen Vernunft

Mit der sprachphilosophischen Dezentrierung des Subjekts und der Kritik an der Vergegenständlichung sprachlicher Bedeutungen werden zugleich die bewußtseinsphilosophischen Voraussetzungen destruiert, unter denen die Einheit des Subjekts und der »identifizierende« Begriff als die beiden Pole eines von seinen Ursprüngen her instrumentellen, »verdinglichenden« Geistes interpretiert werden konnten. Allerdings bleibt zu zeigen, welche Folgen diese Destruktion bewußtseinsphilosophischer *Voraussetzungen* für eine Kritik des identifizierenden Denkens selbst hat. Für Adorno (wie schon für Nietzsche) lag ja bereits in der Allgemeinheit der Begriffe, also darin, daß sie »Ungleichnamiges« »identifizieren«, das proton pseudos der diskursiven Vernunft. »Der Schein von Identität«, heißt es in der *Negativen Dialektik*, »wohnt ... dem Denken selber seiner puren Form nach inne«.[65] Die »pure Form des Denkens« aber ist begründet in der Allgemeinheit des Begriffs, den Adorno auch als »zurüstend« und »abschneidend« charakterisiert.[66] Nun ist die »Starrheit« des Allgemeinbegriffs, wie Adorno sie beschreibt, in gewissem Sinne selbst noch eine rationalistische Fiktion. Wittgenstein hat darauf hingewiesen, daß die Grammatik unserer Sprache uns in der Regel eine vielfältige Verwendungsweise von Worten zeigt, ohne daß wir dabei immer auf eine »grundlegende«, »eigentliche« oder »primäre« Bedeutung von Worten stoßen würden. Wittgenstein benutzt das Bild der »Familienähnlichkeit« und auch das des Seils, das aus lauter einzelnen Fasern besteht, um anzudeuten, wie die verschiedenen Verwendungsweisen eines Wortes ineinandergreifen. In dieser Vielfältigkeit von Verwendungsweisen eines Wortes reflektiert sich die »Offenheit« sprachlicher Bedeutungen, auf die ich oben hingewiesen habe. Man könnte geradezu sagen, daß im Leben des sprachlichen Sinns eine mimetische Kraft am Werke ist, durch welche das Nicht-Identische am Wirklichen – wie Adorno es genannt hätte – als ein Nicht-Identisches an den sprachlichen Bedeutungen sich reflektiert; so daß also das »Absehen vom« Verschiedenen vom »Hinsehen aufs« Verschiedene lebt – um es paradox auszudrücken. Adorno selbst hat der Sprache eine solche mimetische Kraft zugetraut, andernfalls hätte er von der Philosophie nicht die »Anstrengung« verlangen können, »über den Begriff durch den Begriff hinauszugelangen«.[67] *In gewissem Sinne* wird diese scheinbar paradoxe Leistung immer schon von der Sprache erbracht – das heißt von denen, die die Sprache sprechen. Wenn es sich aber so verhält, dann bekommt die Forderung eines reflektierten, eines nicht verdinglichenden, eines »hinsehenden« Gebrauchs der Sprache etwas weniger Paradoxes und Verzweifeltes, als sie es bei Adorno hat. Sie rückt gleichsam näher heran an etwas, was man mit Worten wie »Urteilskraft«, »Phantasie« und – »Vernunft« vorsichtig umschreiben könnte, ohne deshalb gleich eine Utopie der Versöhnung beschwören zu müssen.

Freilich ist dies erst die Skizze einer Metakritik, die es noch auszufüllen gilt. Es kann ja nicht darum gehen, das Gewicht der *Probleme* zu leugnen, die Adornos Kritik des identifizierenden Denkens zugrundelagen; es geht vielmehr darum, diese Probleme richtig zu sehen. Die richtige Form einer Metakritik von Adornos Begriffskritik wäre eine Neuformulierung der Probleme, die Adornos Philosophieren umtrieben. Im folgenden möchte ich wenigstens einige Hinweise hierzu geben.

Was zu verstehen – oder besser: in seinem latenten Sinn zu entziffern – ist, ist Adornos Rede vom »Nicht-Identischen«, das durch die Allgemeinheit des Begriffs zum bloßen Exemplar gemacht, »zugerüstet« oder in seiner Integrität verletzt wird. Adorno denkt die »Verletzung« des »Nicht-Identischen« durch den Begriff zugleich als *Unwahrheit* des begrifflichen Urteils. Er nimmt die Paradoxie in Kauf, die darin liegt, daß das, was wir normalerweise »wahr« nennen – sprachliche Aussagen – zugleich »unwahr« sein soll. Aber nicht nur läßt sich der *emphatische* Wahrheitsbegriff, den Adorno – anders als Nietzsche – *gegen* die Aussagenwahrheit in Anspruch nimmt, nicht mehr in einen einsichtigen Zusammenhang bringen mit dem, was *wir* Wahrheit nennen; vielmehr läßt sich auch nicht *sagen*, welches das Unrecht ist, das dem jeweils Besonderen durch den allgemeinen Begriff angetan wird – es sei denn, man wollte nur sagen, daß aufgrund der Allgemeinheit von Wortbedeutungen die jeweils *spezifischen* Umstände der Zeichenverwendung im sprachlichen Zeichen *selbst* nicht zum Ausdruck kommen. Indes kann man hierin eine *Fälschung* der Wirklichkeit und – wie Adorno zugleich meint –

ein *Unrecht* gegenüber dem Besonderen nur sehen, wenn man die Dialektik von Allgemeinem und Besonderem, die *im* Leben des sprachlichen Sinns sich zuträgt, gleichsam von außen einzusehen versucht, indem man sie etwa im Sinne einer »Werkzeugtheorie« der Sprache versteht: so als wären die Worte wirklich ideelle »Werkzeuge«, mit denen man die Wirklichkeit »packen kann«, wie es in der *Dialektik der Aufklärung* heißt.[68] Die Metaphorik des »Zurüstens« und »Abschneidens«, wenn man sie auf die Sprache im ganzen bezieht, enthüllt ein intentionalistisches Vorurteil über die Sprache; und zwar handelt es sich, wie leicht zu sehen ist, um eine naturalistische Variante der Philosophie des sinn-konstitutiven Subjekts.
Nicht das Aporetische und Paradoxale von Adornos Grundgedanken, sondern ein Rest sprachphilosophischer Naivität in ihm läßt ihn als fragwürdig erscheinen. Zwar hat Adorno gesehen und immer wieder betont, daß die Philosophie keinen Standpunkt außerhalb der Sprache beziehen kann, um eine Kritik des begrifflichen Denkens zu formulieren; aber schon der bloße Gedanke einer Kritik *des* identifizierenden Begriffs setzt einen solchen Standpunkt außerhalb der Sprache voraus. Adornos Philosophie ist ein Anrennen gegen die Grenzen der Sprache – *der Subjektphilosophie;* sie spricht das Geheimnis der Subjektphilosophie aus, ohne es zu verstehen. Nicht zufällig war nämlich deren Paradigma von Wirklichkeitserkenntnis – von Kant bis zum frühen Wittgenstein – die mathematische Physik; was als interne Beziehung zwischen Theorie und Technik, zwischen Erkennen und Handeln, in der logischen Grammatik physikalischer Theorien angelegt ist, wird folgerichtig von der Kritik des identifizierenden Denkens dem Allgemeinbegriff als solchem und daher der diskursiven Vernunft angelastet. So kann es scheinen, daß das Denken aufgrund seines »identifizierenden« Charakters, daß also der normale Gebrauch der Sprache der geschichtlich-sozialen Wirklichkeit der Menschen notwendigerweise dieselbe Gewalt antut, die es der in einem Netzwerk nomologischer Beziehungen erfaßten Natur antut, *und* daß es dieser Natur – Gewalt antut. Aus dieser gedanklichen Grundkonstellation erklärt sich die versöhnungsphilosophische Perspektive Adornos, erklären sich zugleich die unauflösbaren Aporien von Adornos Philosophie: Adorno kann das bessere Andere des instrumentellen Geistes nur als ein Jenseits der diskursiven Vernunft denken, und er kann den

Gedanken einer gewaltlosen Einrichtung der Gesellschaft nur als den einer im ganzen erlösten Natur denken.

Das »Eingedenken der Natur im Subjekt«, das die *Dialektik der Aufklärung* forderte[69], reicht nicht aus, um die idealistische Subjektphilosophie zu entmythologisieren. Erst das Eingedenken der *Sprache* im Subjekt führt aus dem Bann der Subjektphilosophie heraus; es macht die kommunikative Praxis sichtbar, die dem Leben des sprachlichen Sinns zugrundeliegt und deren bloßer Schattenriß das »vorstellende« und »urteilende«, das begrifflich »identifizierende« und instrumentell handelnde Subjekt ist.[70] Damit wird freilich zugleich der Kritik *des* »identifizierenden« Begriffs die Grundlage entzogen. Will man im Ernst von einem Zusammenhang zwischen dem »Abschneidenden« oder »Gewaltsamen«, dem »Unwahren« und der »Allgemeinheit« sprachlicher Urteile reden, so kann es sich nur um ein Problem *innerhalb* der Sprache handeln. Das »Zurüstende« und »Abschneidende« wäre dann nicht dem Allgemeinbegriff als solchem, sondern einem spezifischen *Gebrauch* allgemeiner Begriffe anzulasten; und das »Unwahre« an einem solchen Sprachgebrauch müßte sich als Unwahrheit *in* der Sprache (und nicht als Unwahrheit *durch* die Sprache) verstehen lassen. Adornos Kritik läßt sich entsprechend reformulieren (und differenzieren), wenn wir das »Gewalttätige« des identifizierenden Denkens im Sinne von *spezifischen* Blockierungen, Pathologien oder Perversionen der sprachlichen Kommunikation oder der gesellschaftlichen Praxis verstehen. Dann und nur dann läßt sich auch begreiflich machen, in welchem Sinne durch die Allgemeinheit sprachlicher Bedeutungen die Integrität eines »Nicht-Identischen« *verletzt* oder das Besondere eines Phänomens *verdeckt* werden kann. Erst wenn wir das »Nicht-Identische« Adornos gleichsam aus dem Jenseits der Sprache in den Horizont einer intersubjektiven sprachlichen Praxis zurückholen, wird deutlich, wann und in welchem Sinne die Disproportion zwischen Allgemeinem und Besonderem jeweils eine »Verletzung« oder »Zurichtung« des Nicht-Identischen bedeuten *kann*, und welche spezifischen Störungen, Blockierungen oder Einschränkungen der Kommunikation in solchen Disproportionen zum Ausdruck kommen können. In dem Maße aber, in dem es uns gelingt, das »Unrecht« zu *benennen*, das durch den »verdinglichenden« Gebrauch sprachlicher Klischees oder Generalisierungen dem jeweils Besonderen zugefügt wird, haben wir implizit bereits auch die sprachimmanenten Ressourcen benannt, auf die wir zurückgreifen können, um dem Besonderen zu seinem Recht zu verhelfen. Ich möchte zur Verdeutlichung drei Beispiele (bzw. Beispieltypen) angeben, bei denen sich das Problem einer Disproportion zwischen Allgemeinem und Besonderem jeweils in verschiedener Weise stellt.

(1) Die Erfahrung der Sprachlosigkeit gegenüber der eigenen Erfahrung. Die Grenze des Sprach- und Kommunikationsvermögens, auf die wir hier stoßen, hängt sicherlich mit der Allgemeinheit und Intersubjektivität sprachlicher Bedeutungen zusammen, die andererseits die Bedingung der Möglichkeit einer sprachlichen Verständigung (und Selbstverständigung) ist. Man könnte hier geradezu von einer Sprachlosigkeit der Sprache selbst reden; wenn Adorno von der Disproportion zwischen Anschauung und Begriff redet, meint er zweifellos etwas Ähnliches. Dies wird auch an der überragenden Bedeutung sichtbar, die für Adorno alle Formen des literarischen Sprachgebrauchs und der ästhetischen Objektivation als *Korrektiv* des diskursiven Sprachgebrauchs haben. Der poetische, der literarische, der rhetorische, der »konfigurative« Gebrauch der Sprache bezeichnen produktive Erweiterungen des Sprachvermögens, durch welchen das Nicht-Sagbare sagbar, durch welchen das in der Stummheit der individuellen Erfahrung Verschlossene zugänglich und mitteilbar wird. Hier handelt es sich wirklich um eine *paradoxe* Leistung der Sprache: indem nämlich der gelingende sprachliche Ausdruck in einen Raum öffentlicher Kommunikation eintritt, wird er zugleich *mehr* als nur *individueller Ausdruck;* er erschließt ein Stück *gemeinsamer* Wirklichkeit. Auch hier, wie schon bei dem Wittgensteinschen Beispiel der Empfindungsäußerungen, wird das »Nicht-Identische« der Erfahrung mitteilbar, in dem es intersubjektiv, also seiner Privatheit *entäußert* wird. Das »Anrennen gegen die Grenzen der Sprache«, in der Kunst wie in den unscheinbarsten Äußerungen unseres produktiven Sprachvermögens, ist die Antwort auf eine immer wieder sich erneuernde Sprachlosigkeit der Sprache; aber in der Sprache, das heißt im Sprachvermögen, liegt beides: die Möglichkeit der Entleerung und des Verstummens ebenso wie die Möglichkeit einer Erneuerung und Erweiterung des Sinns. Nur wenn man, wie Adorno, die Überwindung der Sprachlosigkeit messianisch, als den Erwerb einer »wahren Sprache« denkt, »in der der Gehalt selbst

offenbar würde«,[71] müssen die sprachimmanenten Ressourcen, die es uns *immer wieder* – besser oder schlechter – ermöglichen, die Sprachlosigkeit der Sprache zu überwinden, als hoffnungslos unzulänglich erscheinen. Nicht das gilt es zu bestreiten: daß unsere Sprache sub specie aeternitatis hoffnungslos unzulänglich ist; sondern, daß dies uns einen richtigen Begriff davon geben könnte, wie unsere – wirkliche – Sprache funktioniert und welches ihre Möglichkeiten sind.

Die Sprachlosigkeit gegenüber der eigenen Erfahrung ist zugleich eine Sprachlosigkeit gegenüber der Wirklichkeit; insofern haben die produktiven Sprachvermögen, auf die ich hingewiesen habe, eine Bedeutung auch für die Beschreibung der Wirklichkeit, für den moralischen Diskurs oder für die philosophische Argumentation. Adorno hat wie kein anderer auf die Bedeutung von »Ausdruck« und »Darstellung« für die Philosophie, kurz, auf das »ästhetische Moment« hingewiesen, das der Philosophie »nicht akzidentell« sei.[72] Da Adorno die Probleme aber nur in der Polarität von »Subjekt« und »Objekt« artikuliert, kann er nicht begreiflich machen, in welch unterschiedlichen Formen Probleme der Darstellung mit Problemen der Wahrheit sich verschränken. Solche *Unterschiede* sollen die nächsten beiden Beispiele verdeutlichen.

(2) Der »zurüstende« und »abschneidende« Gebrauch der Sprache; die Verschränkung von Un*wahrheit* und Un*recht.* Eine suggestive Beschreibung findet sich in Thomas Bernhards Erzählung »Wittgensteins Neffe«:

»Die sogenannten psychiatrischen Ärzte bezeichneten die Krankheit meines Freundes einmal als diese, einmal als jene, ohne den Mut gehabt zu haben, zuzugeben, daß es für *diese* wie für alle anderen Krankheiten auch, keine richtige Bezeichnung gibt, sondern *immer* nur falsche, immer nur irreführende, weil sie es sich letzten Endes, wie alle anderen Ärzte auch, wenigstens *durch immer wieder falsche Krankheitsbezeichnungen* leichter und schließlich auf mörderische Weise bequem gemacht haben. Alle Augenblicke sagten sie das Wort *manisch,* alle Augenblicke das Wort *depressiv* und es war in jedem Fall immer falsch. Alle Augenblicke flüchteten sie (wie alle anderen Ärzte!) in ein anderes Wissenschaftswort, um sich (nicht aber den Patienten) zu schützen und abzusichern.«[73]

Ich habe dieses kurze Textstück von Bernhard ausgewählt, weil es vieldeutig genug ist, um Assoziationen in den verschiedensten Richtungen zu erlauben. Man könnte zunächst sagen, daß Bern-

hard eine psychiatrische Praxis beschreibt, die in kognitiver Hinsicht *unkritisch* und als therapeutische *inhuman* ist. Psychiatrische Fachausdrücke werden benutzt, um Menschen als Fälle zu objektivieren, zu klassifizieren und in Behandlungsroutinen abzuschieben. »Alle Augenblicke flüchteten sie ... in ein anderes Wissenschaftswort«: hier denkt man an einen Mangel an fachlicher Kompetenz, der durch den leichtfertigen und etikettierenden Gebrauch diagnostischer Termini überspielt wird; etwa zur Verteidigung der ärztlichen Autorität oder aus bloßer (»mörderischer«) Bequemlichkeit, die sich um glatter Routinen willen auf die Schwierigkeit besonderer Fälle nicht einläßt. (Ersichtlich brauchte man nicht eine schlechte Psychiatrie zu bemühen, um diesen Faden auszuspinnen.) Die Ärzte in unserem Beispiel haben es sich »auf mörderische Weise bequem gemacht«: soll heißen, daß ihre Inkompetenz und Bequemlichkeit »mörderische« Konsequenzen hat. Statt den Patienten zu schützen (ihm zu helfen, sich auf ihn einzulassen), schützen sie sich selbst. *Falsch* sind die »Krankheitsbezeichnungen« letztlich deshalb, weil sie unkritisch und zum Zwecke des Selbstschutzes *verwendet* werden; ihre Falschheit ist Teil einer falschen Praxis; einer Praxis, die falsch ist, weil sie dem widerspricht, was die Aufgabe des Arztes ist. Innerhalb einer solchen falschen Praxis sind *alle* Bezeichnungen falsch, weil sie *alle* falsch verwendet werden.
Natürlich sind Psychiatrie und Medizin (obgleich wohl nicht für Bernhard) eher zufällige Beispiele; statt von ihnen hätte man ebensogut von (Beispielen aus) der Justiz, der Bürokratie oder auch von der alltäglichen Rohheit und Dummheit sprechen können. Aber bleiben wir beim Beispiel der Psychiatrie. Eine *andere* Verwendung ihrer Fachausdrücke ist denkbar, bei der Worte wie »manisch« oder »depressiv« (oder auch bessere) nicht das *Ende* eines Klassifikationsversuchs, sondern den *Beginn* einer therapeutischen Zuwendung bezeichneten. Im ersten Fall würden die psychiatrischen Fachausdrücke benutzt wie klassifikatorische Ausdrücke für Obst- oder Gemüsesorten, die zum Zwecke der Verwahrung sortiert werden; im zweiten Fall bezeichneten sie erste Vermutungen über den Charakter und die Ätiologie eines Leidens, durch welche die Phantasie der Therapeuten in eine bestimmte Richtung gelenkt würde: in diesem Falle diente die Klassifikation der vorläufigen Orientierung eines therapeutischen Prozesses, in dem es letztlich um die Aneignung seiner *konkreten*

Geschichte durch den Patienten *geht.* Den Worten selbst (oder den Sätzen) kann man nicht ansehen, ob sie auf die eine oder die andere Weise verwendet werden. Aber nur im Falle der zweiten (richtigen) Art der Verwendung sind überhaupt die Bedingungen gegeben, unter denen die Frage nach der Wahrheit oder Falschheit von Aussagen und Vermutungen sich gleichsam in der *richtigen* Weise stellt.

Durch eine leichte (obwohl moralisch schwerwiegende) Variierung der »Versuchsbedingungen« könnten wir von der Klassifikation von Menschen oder Krankheiten zu der Klassifikation von sozialkulturellen Phänomenen, etwa von Kunstwerken übergehen. Es gibt eine klassifikatorische Verwendungsweise von Form- oder Stilkategorien, die mit der abschiebend-etikettierenden Verwendung von Fachausdrücken oder Klischees im sozialen Leben vieles gemeinsam hat. Der Begriff der Sonatenform etwa läßt sich verwenden, um von Haydn bis Beethoven und Schubert alles in eine Schublade packen zu können; er läßt sich aber auch – zusammen mit anderen musiktheoretischen Kategorien – historisch differenzieren und für Zwecke einer individualisierenden Analyse fruchtbar machen; Adorno hat dies in unvergleichlicher Weise gezeigt. Aber statt mich den Assoziationen zu überlassen, die von hier aus zu Fragen der Sozial- und Kulturwissenschaften führen, kehre ich noch einmal zum Beispiel der Psychiatrie zurück. So wie Bernhard das Wort »falsch« benutzt, erinnert es an Adornos Charakterisierung des »identifizierenden Denkens«, das *unwahr* ist in dem Maße in dem es das Nicht-Identische *verletzt.* Das Nicht-Identische, das sind hier die individuellen Menschen mit ihren Krankheitsgeschichten; verletzt werden sie in dem Maße, in dem ihnen die kommunikative Zuwendung verweigert und die Chance auf eine »Rückgewinnung« ihrer selbst abgeschnitten wird. Die Menschen werden »verdinglicht«, zu bloßen Exemplaren gemacht, abgeschoben. So verhalten sich die Ärzte in Bernhards Geschichte, aber, wie es bei Bernhard heißt, »alle anderen Ärzte auch«. Natürlich sollten uns hier die zornig-ungerechten Verallgemeinerungen des Autors Bernhard nicht interessieren. Die verallgemeinernde Wendung läßt sich aber lesen als Hinweis darauf, daß verdinglichende Praktiken in der modernen Gesellschaft in der Form von *Institutionen* auftreten (wiederum natürlich nicht nur in der Psychiatrie). Als institutionalisierte gewinnen sie eine opake Gewalt, die gleichsam über

moralische Zurechenbarkeiten hinweggeht. »Alle Ärzte« – das sind nicht mehr Menschen, die sich individuell falsch verhalten, sondern Mitglieder einer Institution, die ihre vorgezeichnete Rolle spielen (Marx hätte gesagt »Charaktermasken«). Man könnte – um unser Beispiel nicht aus den Augen zu verlieren – von einer Institutionalisierung falscher Sprachgebräuche reden. Solche Institutionalisierungen sind aber in der Moderne rückgekoppelt an Formen einer systematischen Wissens-Erzeugung: an den institutionalisierten Diskurs der empirischen Wissenschaften. Wir müssen daher, um alle Konnotationen des Wortes »falsch« bei Bernhard zu erfassen, auch noch über die Wissenschaften sprechen, die den kognitiven Rahmen für verdinglichende Praktiken bereitstellen. Dies führt uns zurück zu Adorno. Für Adorno sind verdinglichende *Praktiken* in der modernen Gesellschaft unlösbar verknüpft mit der Verdinglichung der Menschen durch die *Wissenschaft.* »Verdinglichend« ist eine Wissenschaft vom Menschen, deren Methodenideal die Physik ist; denn in ihre Verfahren ist der gleiche Zusammenhang zwischen »Wissen« und »Technik« eingebaut, wie er zur logischen Grammatik physikalischer Theorien gehört. Nehmen wir – hypothetisch – eine psychiatrische Wissenschaft an, die sich entsprechend versteht; dann wäre bereits in die *Sprache* und in die *Techniken* der Psychiatrie jene Kommunikationsverweigerung eingebaut, die bei Bernhard zu Lasten der Ärzte geht. In diesem Falle wäre das Wort »falsch« bei Bernhard nicht im Sinne einer falschen Verwendung an sich sinnvoller psychiatrischer Fachausdrücke zu verstehen, sondern als Charakterisierung einer wissenschaftlichen Sprache: diese wäre »falsch«, weil bereits in ihren normalen Verwendungsregeln die Verdinglichung der Patienten impliziert wäre.
Ich will sagen: Bernhards Text läßt uns an verschiedene Arten einer unangemessenen Sprachverwendung denken, bei denen die *Unwahrheit* von Aussagen sich mit dem *Unrecht* von Handlungen und Einstellungen berührt. Das »identifizierende Denken« ist hier verknüpft mit einer *Verweigerung* der Kommunikation und einer *Verletzung* der Integrität von Personen. Freilich könnten wir einen solchen Zusammenhang zwischen »Unwahrheit« und »Unrecht« nicht denken, wenn uns nicht die jeweiligen »Objekte« der Untersuchung zugleich als potentielle Ko-Subjekte sprachlicher Verständigung »gegeben« wären.[74] Soziale und psychologische Tatsachen sind uns letztlich nur aus der performati-

ven Einstellung von Kommunikations*teilnehmern* zugänglich; hierin sind nicht nur die Grenzen einer möglichen Objektivierung sozialer und psychologischer Phänomene begründet, hierin ist vielmehr auch begründet, daß ein falscher Gebrauch von Allgemeinbegriffen (oder ein Gebrauch falscher Allgemeinbegriffe) auf der Ebene von Aussagen als *Unwahrheit* und auf der Ebene von Handlungen und Einstellungen als *Verletzung* des »Nicht-Identischen« sich manifestieren kann. Es geht mir an dieser Stelle nicht um die Begründung einer Alternative etwa zur empiristischen Wissenschaftstheorie. Ich will nur sagen: Nur wenn man, wie Adorno, den Physikalismus, eine a-kommunikative Objektivierung der Wirklichkeit, bereits in den Bedingungen der sprachlichen Darstellung von Wirklichkeit angelegt sieht, kann man der Auffassung sein, daß eine Kritik »verdinglichender« Sprachgebräuche, wie ich sie oben *angedeutet* habe, uns nötigt, über den *Begriff* in seinem »Normalsinn« hinauszugehen. Nein, sie nötigt uns nur, über eine dogmatisch verengte Sprach- oder Wissenschaftsauffassung hinauszugehen.

(3) Systemzwang und die »Wut aufs Nichtidentische«[75]: Blockierungen der Reflexion. Schon in der *Dialektik der Aufklärung* heißt es, der Satz vom Widerspruch sei »das System in nuce«. Der »Schein von Identität«, der Adorno zufolge dem begrifflichen Denken innewohnt, ist zugleich der Schein einer Ordnung der Dinge, der durch den Systemzwang des begrifflichen Denkens erzeugt wird. Adorno sieht den Systemzwang durchaus psychologisch: als Korrelat des »Ich-Prinzips«, des Zwangs zur Ausbildung eines einheitlichen Selbst: Unterm Zeichen des Systemzwangs erscheint das Nicht-Identische, das Inkommensurable, das, was nicht aufgeht, als bedrohlich: Wut und Angst sind die typischen Formen der Reaktion auf die Erfahrung des Nicht-Identischen. Das Nicht-Identische muß abgewehrt werden: verdrängt (wie im Prozeß der Sozialisation), tabuiert (wie in primitiven Gesellschaften)[76], geleugnet (wie beim Dogmatismus aller Arten) oder schließlich auch physisch beseitigt.

Schon für Max Weber war bekanntlich der Prozeß der Rationalisierung in der modernen Welt weitgehend auch ein Prozeß der *Systematisierung;* und zwar auf der Ebene des Wissens ebenso wie auf der des Handelns. Adorno hat diesen theoretisch und praktisch gemeinten Gedanken eines Zusammenhangs zwischen Rationalität und System von Weber übernommen, aber in gewissem Sinne die Vorzeichen verkehrt: er betont das Wahnhafte des Systemzwangs. Wahnhaft sind für Adorno nicht nur die Systeme der Paranoiker, ideologische »Weltanschauungen« oder die Ordnungsphantasien von Bürokraten; ein Moment des Wahn- und Zwanghaften entdeckt er vielmehr auch noch in den Systemen der Philosophie. Die Kritik des »identifizierenden Denkens« wird bei Adorno zur Kritik der totalisierenden Vernunft; seine eigene Philosophie zum Versuch, dem Systemzwang des begrifflichen Denkens sich zu entwinden.

Nun ist es aber wiederum nur im Rahmen eines eindimensionalen Subjekt-Objekt-Modells plausibel, den diskursiven Charakter des begrifflichen Denkens verantwortlich zu machen für die Starrheit des Systems. Das Wort »diskursiv« ist bei Adorno monologisch gedacht: Begründung und Argumentation denkt er nach dem Modell eines deduktiven Zusammenhangs zwischen Sätzen. Daher muß er die Idealisierungen, die der formalen Logik zugrundeliegen – nämlich die idealisierende Annahme »starrer« Bedeutungen – in eine Eigentümlichkeit der Begriffe selbst umdeuten: im Allgemeinbegriff als solchem ist für ihn bereits die Starrheit des deduktiven Systems angelegt. Indes sind Adornos *psychologische* Erklärungen des Systemzwangs überzeugender als seine *begriffslogischen*. Die sprachphilosophische Dezentrierung des Subjekts nötigt nicht zuletzt zu der Einsicht, daß der diskursive Charakter des begrifflichen Denkens sich in Begriffen eines deduktiven Zusammenhangs zwischen Sätzen nicht zureichend charakterisieren läßt. Zur Argumentation gehört nicht nur ein Hin- und Hergehen zwischen Begriff und Sache, sondern auch ein Hin- und Hergehen zwischen dem einen und dem anderen Begriff von einer Sache. Der Argumentation, zu deren Begriff eine Pluralität von Subjekten gehört (selbst wo sie als Reflexion verinnerlicht ist), fehlt nicht nur die Linearität deduktiver Satzzusammenhänge, sondern auch die Stabilität »starrer« Bedeutungen. In dem Maße, in dem in der Argumentation Sichtweisen, Einstellungen und Sprachgebräuche aufeinanderstoßen und in Frage gestellt werden, gewinnt sie eine »bedeutungskonstitutive« Dimension; das Leben des sprachlichen Sinns gewinnt in ihr eine reflexive Gestalt. Ich will sagen: Obwohl der Argumentation eine »identitätslogische« Dimension wesentlich ist (wie dem Sprechen überhaupt), versteht man das spezifisch Vernünftige der Argumentation nicht, wenn man sie auf diese identitätslogische Dimension reduziert. Genau das hat sich ja auch in neueren wissenschaftstheoretischen Diskussionen gezeigt; selbst die Rationalität des physikalischen Wissenschaftsfortschritts läßt sich nach einem formalen Modell der Argumentations-Rationalität nicht begreifen. Insofern wäre Adorno vorzuwerfen, daß er sich einen rationalistischen Begriff diskursiver Vernunft hat vorgeben lassen; nur weil dies so ist, wird die Kritik der *totalisierenden* Vernunft bei ihm zur Kritik der *diskursiven* Vernunft.

Aus dem Gesagten folgt, daß die im »Systemzwang« sich äußernde »Wut aufs Nichtidentische« nicht *Ausdruck* diskursiver Rationalität ist, sondern einen *Mangel* an diskursiver Rationalität anzeigt. Dieser Mangel an diskursiver Rationalität äußert sich als Unfähigkeit zur Erfahrung und in Blockierungen der Argumentation. Ich habe von einer Blockierung der *Reflexion* gesprochen, weil in diesem Ausdruck die Unfähigkeit zur *Erfahrung* (zum »sich-Einlassen« auf die Sache oder auf die Wirklichkeit) mit der Unfähigkeit zur Selbst-*Revision* zusammengedacht ist. Das starre System korrespondiert einem starren Ich; hierin hatte Adorno, wie ich glaube, recht. Man muß aber nicht über die diskursive Vernunft hinausgehen, um, wie Adorno es versuchte, eine »Kohärenz« jenseits des Systemzwangs,[77] eine Form der Individuierung jenseits des starren Identitätszwangs zu denken. Die normative Perspektive einer *zwanglosen* Einheit ist vielmehr in den sprachlichen Grundlagen der diskursiven Vernunft selbst angelegt.

Adornos Begriff der diskursiven Vernunft gleicht dem Bild, das eine szientistisch verengte Aufklärung von der Vernunft gezeichnet hatte. Nur haben sich bei Adorno die Vorzeichen verkehrt. Während die szientistische Aufklärung ihr affirmatives Bild der Vernunft am Paradigma der Mathematik und der mathematischen Naturwissenschaft gewinnt, werden letztere bei Adorno zum Paradigma einer Rationalität, die *als* diskursive *verdinglicht*. Mit der sprachphilosophischen Dezentrierung des Subjekts verlieren indes »These« *und* »Antithese« gleichermaßen ihr Recht. Dies bedeutet zugleich eine Entmythologisierung (oder Entdämonisierung) von formaler Logik, Mathematik und Physik. Deren eigene Rationalität entspricht nämlich dem Bild nicht, das eine szientistische Aufklärung von ihr gezeichnet hatte. Auch Mathematik und Physik sind an sprachliche Zeichensysteme gebunden, deren Bedeutungen sich nur im Medium einer kommunikativen Praxis

herausbilden, stabilisieren und verändern können; auch sie sind Praktiken mit »unscharfen Rändern«; dies *zeigt* sich in Grundlagenkrisen. Gewiß ist die Physik der Prototyp einer *objektivierenden* Denkweise. Indem sie die Realität als ein Netzwerk nomologischer Zusammenhänge »konstruiert« und erforscht, erschließt sie sie zugleich als ein Feld möglicher instrumenteller Eingriffe und technischer Kontrolle. *Als* objektivierende aber kann die Physik ihrer nicht-objektivierbaren Grundlagen, ihrer Fundierung in einer geschichtlichen Praxis nicht ansichtig werden. Wie die formale Logik vom Leben des sprachlichen Sinns abstrahiert, so abstrahiert die Physik von der kommunikativen Dimension der menschlichen Praxis. Sie *ist* gewissermaßen Erkenntnis der Wirklichkeit sub specie eines singulären Subjekts; daher ihre zentrale Rolle in der neuzeitlichen Subjektphilosophie. Aber nicht in der Physik, sondern in der Subjektphilosophie ist der Szientismus angelegt; die Kritik des identifizierenden Denkens ist in gewissem Sinne noch einmal ein Szientismus mit umgekehrtem Vorzeichen. Sie lastet dem Begriff an, was eine sprachvergessene Metaphysik aus ihm gemacht hat. Daß für Adorno, wie für den frühen Wittgenstein, das, worauf es eigentlich ankommt, sich nicht sagen läßt (obwohl nach Adorno die Philosophie *gegen* Wittgenstein darauf insistieren muß »zu sagen, was nicht sich sagen läßt«[78]), hängt damit zusammen, daß unter subjektphilosophischen Prämissen das Subjekt, das die »Grenze« der physikalisch objektivierbaren Welt bildet[79], in dieser nicht vorkommen kann. So wird der Versuch, die Grenzen des instrumentellen Geistes zu überschreiten, zur aporetischen »Anstrengung« der Philosophie, »über den Begriff durch den Begriff hinauszugelangen«.[80] Adorno kann das, was an »wahrer« Vernunft über die instrumentelle hinausgeht – er hat dafür den Namen »Mimesis« – nur als exterritorial zur Sphäre des begrifflichen Denkens begreifen. Demgegenüber bedeutet die sprachphilosophische Dezentrierung des Subjekts den Aufweis einer kommunikativ-mimetischen Dimension im *Innern* der diskursiven Vernunft. Diese ist immer schon mehr als formale Logik, instrumentelle Vernunft oder Systemzwang. Deshalb bedarf es nur einer Entbindung der ihr *immanenten* Potentiale, um die Ansprüche der instrumentellen Vernunft in Schranken zu halten und um den Schein der falschen Totalisierungen aufzulösen.
Die sprachphilosophische Kritik des Subjektivismus macht eine

Differenzierung der Kritik der identitätslogischen Vernunft möglich, die zugleich deren Relativierung bedeutet. Was bleibt, ist ein metakritisch nicht relativierbarer Kern der Kritik des identifizierenden Denkens, der die Stellung der Philosophie selbst betrifft. Adornos Charakterisierung der Philosophie – an ihr sei »die Anstrengung, über den Begriff durch den Begriff hinauszugelangen« – bleibt in *einer* Hinsicht gültig auch dann noch, wenn Adornos Begriff des »identifizierenden« Begriffs in Frage gestellt wird. Es handelt sich hier um den Punkt, an dem Adornos Denken mit demjenigen Wittgensteins – auch noch dem des späten – übereinkommt. Hierbei geht es nicht mehr um die utopische Perspektive einer trans-diskursiven Vernunft, sondern um den »uneigentlichen« Charakter der philosophischen Rede: um den Zusammenhang von »Sagen« und »Zeigen« in der Philosophie. Die Philosophie stellt dar, was sich dem Medium der sprachlichen Darstellung entzieht; nicht weil das Besondere vor der Allgemeinheit des Begriffs zurückweicht, sondern weil das Verhältnis von Besonderem und Allgemeinem selbst – der Zusammenhang zwischen Sprache und Welt – in der Philosophie thematisch wird. Zugleich geht es in der Philosophie um die Frage, wie wir uns selbst – *als* sprechende Wesen – verstehen sollen: neben dem Zusammenhang zwischen Sprache und Welt ist das Problem der Rationalität das wichtigste Thema der Philosophie. Der Zweck der Philosophie aber ist weder der Beweis von Behauptungen über die Wirklichkeit noch die Begründung von Verhaltensregeln, sondern die Auflösung von Verwirrungen, die Erinnerung an Allbekanntes (Wittgenstein) oder das Eingedenken dessen, was wir vergessen haben (Adorno). Das Verstehen, auf das die Philosophie abzielt, meint ein »Sich-zurecht-Finden« in dem, was wir mit der Sprache tun und was wir durch die Sprache sind. Diesem Zweck dienen ihre Beschreibungen, Erklärungen, Argumentationen und Darstellungen. Aber diese Beschreibungen, Erklärungen, Argumentationen und Darstellungen bedienen sich einer objektivierenden Sprache, die vor ihrem Thema versagt, weil dieses nicht objektivierbar ist – und zwar ebensowenig wie die sprachlichen Bedeutungen, die nicht zufällig zum zentralen Thema der zeitgenössischen Philosophie geworden sind. Das soll nicht heißen, daß die philosophischen Sätze eigentlich alle falsch oder unsinnig sind; es soll vielmehr heißen, daß der richtige Gebrauch philosophischer Sätze ein uneigentlicher ist. Die philosophischen Sätze haben ihren Zweck erfüllt, wenn wir durch sie dazu gekommen sind, die Dinge richtig zu sehen. Sie wollen *zeigen*, was sie *sagen*. *Deshalb* ist, wie Adorno sagt, »der Philosophie ihre Darstellung nicht gleichgültig und äußerlich ... sondern ihrer Idee immanent;[81] *deshalb* ist sie »wesentlich nicht referierbar«[82] und *deshalb* steckt in der Idee des philosophischen Systems – als eines kognitiven Systems im wörtlichen Sinne – ein Selbstmißverständnis der Philosophie.[83] In der Philosophie stoßen wir wirklich, wie Adorno meinte, auf eine Grenze des Begriffs; aber nur deshalb, weil wir uns philosophierend an der Grenze der Sprache bewegen; weder ganz innerhalb der Sprache noch, wie wir wohl möchten, jenseits der Grenze.

Ich habe die Kritik der »identitätslogischen« und »totalisierenden« Vernunft am Beispiel Adornos untersucht, weil mir Adorno der bedeutendste Vertreter dieser Kritik zu sein scheint. Freilich unterscheidet sich die postmodernistische Kritik der totalisierenden Vernunft von derjenigen Adornos durch die entschiedene Absage an eine Philosophie der Versöhnung. Hierin liegt aber nur scheinbar ein Gewinn gegenüber Adorno. Bei Adorno steht die versöhnungsphilosophische Perspektive nicht zuletzt für eine *Verteidigung* der Vernunft gegen den Irrationalismus, für die unendlichen dialektischen Mühen des Versuchs, in der schlechten Vernunft die schwachen Spuren einer besseren sichtbar zu machen. Diese Spuren, das zeigt die Metakritik der Kritik des identifizierenden Denkens, sind deutlicher und schwerer zu tilgen als Adorno dies wahrhaben mochte: es bedarf der messianischen Hoffnung nicht, um sie sichtbar zu machen. Schwört man indes nur der messianischen Hoffnung aufs Absolute ab, ohne zugleich den absolutistischen Charakter der Vernunftkritik zu revidieren, so kann eine Kritik der totalisierenden Vernunft nur in Affirmation, Regression oder Zynismus enden. In Wirklichkeit zeigt sich am Beispiel Adornos, daß die sprachphilosophische Dezentrierung des Subjekts zu einer *Relativierung* der Vernunftkritik nötigt: die Kritik der totalisierenden Vernunft trifft nicht die diskursive Vernunft als solche, sondern den unzureichenden, schlechten oder pervertierten *Gebrauch* der Vernunft. Relativierung bedeutet nicht notwendigerweise *Abmilderung* der Kritik; Relativierung soll vielmehr soviel bedeuten wie ein Abstecken der Grenzen, innerhalb derer die Vernunftkritik einen Sinn hat, ohne ihrerseits entweder in Metaphysik oder in Zynismus umzuschlagen. Durch dies Abstecken der Grenzen einer sinnvollen Vernunftkritik hat die Vernunft selbst, und hat auch das Subjekt, noch einmal eine Chance bekommen. Freilich kann diese Chance nicht von der Art sein, wie sie beiden – der Vernunft und dem Subjekt – von einer rationalistischen Aufklärung einmal versprochen wurde. Aber welcher Art wäre sie dann? Das ist die Frage, mit der ich zum Thema Moderne und Postmoderne zurückkehre.

VII. Reprise

Nachdem der »Tod Gottes« schon beinahe vergessen ist, wird heute im Umkreis des Postmodernismus vielfach der »Tod der Moderne« proklamiert.[84] Wie immer auch der Tod der Moderne verstanden wird von denen, die ihn konstatieren, er wird als ein *verdienter* Tod verstanden: als Ende einer schrecklichen Verirrung, eines kollektiven Wahns, eines Zwangsapparats, einer tödlichen Illusion. Die Nachrufe auf die Moderne sind häufig voller Hohn, Bitterkeit und Haß; noch nie wurde wohl ein mit so vielen guten Vorsätzen begonnenes Projekt – ich spreche vom Projekt der europäischen Aufklärung – mit so vielen Verwünschungen zu Grabe getragen. Andere Vertreter des Postmodernismus haben ein differenzierteres Bild gezeichnet: bei ihnen erscheint die Moderne nicht als tot, sondern als in einem Prozeß der »Häutung« begriffen; die Moderne in einem Übergang zu einer neuen Gestalt, von der man noch nicht deutlich sehen kann, ob es die einer zu sich selbst gekommenen und über sich selbst hinausgewachsenen Moderne sein wird oder die einer technisch informatisierten, kulturell und politisch regredierten Gesellschaft.
Auf diese und ähnliche Zweideutigkeiten des Postmodernismus – die auch solche der gesellschaftlichen Phänomene sind – habe ich in meiner »Exposition« hingewiesen; auf die Zweideutigkeiten der Rationalismus-Kritik in der »Durchführung«. Ich möchte jetzt das Thema der Exposition in der Weise wieder aufnehmen, daß ich aus dem Vexierbild des Postmodernismus einen bestimmten Zug herauszulösen versuche – nämlich den Impuls zu einer »Selbstüberschreitung der Vernunft« (Castoriadis), die ein geschichtliches Projekt der Menschen wäre, und nicht entweder ein Messianismus der Versöhnung oder aber eine kulturelle und politische Regression.

Ich beginne noch einmal mit einem vereinfachten Bilde jener »modernen« Konstellation, die den Einsatzpunkt *dieses* Postmodernismus bildet. Das Bild hat zwei Teile: (1) Vom Projekt der Aufklärung, bei dem es, in Kants Worten, um den »Ausgang des Menschen aus seiner selbstverschuldeten Unmündigkeit« ging, war schon bei Max Weber nicht viel anderes mehr übriggeblieben als ein Prozeß unaufhörlicher Rationalisierung, Bürokratisierung und »Verwissenschaftlichung« des gesellschaftlichen Lebens. Kapitalistische Ökonomie, moderne Bürokratie, technischer Fortschritt und schließlich die von Foucault analysierten Formen der »Disziplinierung« der Körper haben die Ausmaße eines gewaltigen Zerstörungsprozesses angenommen: zuerst die Zerstörung der Traditionen, dann die Zerstörung des ökologischen Umfelds, schließlich die Zerstörung des »Sinns« sowie jenes einheitlichen Selbst, das einmal das Produkt ebenso wie der Motor des Aufklärungsprozesses war. Die Vernunft, die in diesen Rationalisierungsprozessen geschichtlich am Werke ist, ist eine »identitätslogische«, eine planende, kontrollierende, objektivierende, systematisierende und vereinheitlichende, kurz: eine »totalisierende« Vernunft. Ihre Symbole sind die mathematische Deduktion, die geometrischen Grundgestalten, das geschlossene System, die allgemeine, deduktiv-nomologische Theorie, die Maschine und das Experiment (der technische Eingriff). Im Kontext des Modernisierungsprozesses wird die politische Praxis zur Technik der Machterhaltung, der Manipulation und der Organisation, die Demokratie zu einer effizienten Form der Organisation von Herrschaft. Die Kunst schließlich wird als Kulturindustrie der kapitalistischen Ökonomie integriert, reduziert zu einem scheinautonomen Schein-Leben. (2) Gegen die Aufklärung als Rationalisierungsprozeß hat die Moderne selbst schon früh und immer wieder starke Gegenkräfte mobilisiert; als deren Exponenten können etwa die deutschen Romantiker verstanden werden, der frühe Hegel, Nietzsche, der frühe Marx, Adorno, die Anarchisten; zu den Gegenkräften gehört schließlich ein großer Teil der modernen Kunst. Bei näherem Hinsehen fällt allerdings auf, daß die »romantischen« Gegenkräfte zum modernen »Rationalismus«, soweit sie sich nicht *ästhetisch,* sondern *theoretisch* und *politisch* artikulierten, in einer eigentümlichen Weise abhängig blieben vom rationalistischen Mythos der Moderne: vom frühen Hegel bis zu Adorno bleibt die Idee der »Versöhnung« ein utopisches Gegenbild zur Verdinglichung, Entzweiung und Entfremdung in der modernen Gesellschaft, gebunden an die »identitätslogische Vernunft« ebensowohl durch bloße Negation als auch durch die Hoffnung auf eine Vollendung des Sinns. Beim reifen Hegel und bei Marx feiert die totalisierende Vernunft neue Triumphe: die Kritik der bürgerlichen Gesellschaft und ihrer Verstandesrationalität hat sich verdichtet zu einer Dialektik der Geschichte, die bei Marx auch noch das utopische Gegenbild der Romantiker mit ergreift, es gleichsam »rationalisiert«. Das totalisierende Wissen der Geschichtsdialektik aber bietet sich am Ende noch einmal an als Legitimations- und Herrschaftswissen im Dienste modernisierender Eliten. Während die totalisierende Dialektik der staatlich organisierten Repression – bis hin zum stalinistischen Terror – ihr gutes Gewissen verleiht, verleiht die anarchistische Negation des Staates – so mag es scheinen – dem *individuellen* Terror sein gutes Gewissen: auch dieser aber führt, statt den Teufelskreis zu sprengen, nur tiefer in ihn hinein. So also scheint, in einem Widerspiel undialektischer Affirmationen und Negationen, die europäische Aufklärung sich verzehrt zu haben, während der Prozeß der industriellen Modernisierung ungebrochen voranschreitet.

Fortgelassen habe ich in meinem Bilde die Ausbrüche eines schlichten Irrationalismus, wie sie die Geschichte des europäischen Rationalismus immer wieder begleitet haben, und deren schrecklichster der deutsche Faschismus war. Fortgelassen habe ich auch die regressiven oder neo-konservativen Versionen des Postmodernismus, die sich ohne Mühe in das Bild einzeichnen ließen. Das Widerspiel von Rationalismus und Irrationalismus, von Rationalisierung und Regression ist gleichsam die exoterische Seite jenes esoterischen Widerspiels von Aufklärung und Romantik, auf das ich eben hingewiesen habe. Fortgelassen habe ich schließlich aber auch den Hinweis auf jene Seite der demokratischen Traditionen des Westens, die es möglich gemacht hat, daß bis heute politische, soziale und kulturelle Gegenbewegungen auf diese demokratischen Traditionen sich berufen und sich von ihnen haben inspirieren lassen können. Diese letzte »Fortlassung« bezeichnet im übrigen einen Punkt, der für meine eigene Deutung des »postmodernen Impulses« von zentraler Bedeutung sein wird.

Ich kehre noch einmal zurück zur modernen Kunst. Wir hatten

gesehen, daß der Postmodernismus weitgehend ein ästhetischer Modernismus geblieben ist oder doch tief verankert in der ästhetischen Moderne. Die moderne Kunst erscheint hier als das Feld, auf dem die Rationalitätsform der Moderne längst – und zwar, sozusagen, auf dem Niveau der Moderne – in Frage gestellt wurde. Dieser Gedanke durchzieht bereits auch Adornos Ästhetik der Negativität. Ich glaube nun, daß man Adornos Ästhetik gewissermaßen nur gegen den Strich zu lesen braucht, um statt einer Philosophie der Versöhnung Ansätze einer Philosophie der Postmoderne in ihr zu finden. Für Adorno[85] bedeutete die moderne Kunst den Abschied von einem Typus der Einheit und des Sinnganzen, für den in der Epoche der großen bürgerlichen Kunst die Einheit des geschlossenen Werks ebenso stand wie die Einheit des individuellen Ich. Die ästhetische Aufklärung entdeckt, so stellt es sich für Adorno dar, in der Einheit des traditionellen Werks ebenso wie in der Einheit des bürgerlichen Subjekts ein Gewaltsames, Unreflektiertes und Scheinhaftes: einen Typus der Einheit nämlich, der nur um den Preis einer Unterdrückung und Ausgrenzung von Disparatem, Nicht-Integrierbarem, Verschwiegenem und Verdrängtem möglich war. Es handelt sich um die scheinhafte Einheit einer fingierten Sinn-Totalität, analog immer noch der Sinn-Totalität eines von Gott geschaffenen Kosmos. Die offenen Formen der modernen Kunst sind nach Adorno eine Antwort des emanzipierten ästhetischen Bewußtseins auf das Scheinhafte und Gewaltsame solcher traditioneller Sinn-Totalitäten. Die Momente des *Schein*haften und des *Gewalt*samen an den Sinn-Synthesen der Tradition meint Adorno, wenn er einerseits die moderne Kunst als ›Prozeß gegen das Kunstwerk als Sinnzusammenhang‹ charakterisiert und wenn er andererseits für die moderne Kunst ein Prinzip der Individuierung und der ›ansteigenden Durchbildung des je Einzelnen‹ reklamiert. Beides läßt sich so zusammendenken, daß mit der Hereinnahme des Nicht-Integrierten, Subjektfernen und Sinnlosen in der modernen Kunst ein um so höherer Grad an flexibler und individueller Organisationsleistung notwendig wird. Die ›Öffnung‹ oder ›Entgrenzung‹ des Werks ist gedacht als Korrelat einer ansteigenden Fähigkeit zur ästhetischen *Integration* des Diffusen und Abgespaltenen. Wenn man nun nicht nur an die ästhetischen *Produzenten* denkt, wie Adorno dies in einer eigentümlichen Verengung des Blicks immer getan hat, sondern auch

an die *Rezipienten*, so könnte man sagen, daß die entgrenzten Formen der modernen Kunst nicht nur der ästhetische Spiegel eines dezentrierten Subjekts und seiner aus den Fugen geratenen Welt sind, sondern daß sie auch für einen möglichen neuen Umgang der Subjekte mit ihrer eigenen Dezentriertheit stehen: das heißt für eine Form der Subjektivität, die nicht mehr der rigiden Einheit des bürgerlichen Subjekts entspricht, sondern die die flexiblere Organisationsform einer »kommunikativ verflüssigten« Ich-Identität[86] aufweist. Beides, die Erschütterung des Subjekts und seiner Sinn-Gehäuse in der modernen Welt, *und* die Möglichkeit eines neuen Umgangs mit einer dezentrierten Welt durch Erweiterung der Subjektgrenzen, kündigt sich von weither in der modernen Kunst an. *Gegen* die Auswucherungen einer technischen und bürokratischen Rationalität, also gegen die dominante Rationalitätsform der modernen Gesellschaft brächte die moderne Kunst ein *emanzipatorisches* Potential der Moderne zur Geltung; in ihr würde nämlich ein neuer Typus von »Synthesis«, von »Einheit« – absehbar, bei dem das Diffuse, Nicht-Integrierte, das Sinnlose und Abgespaltene eingeholt würde in einen Raum gewaltloser Kommunikation – in den entgrenzten Formen der Kunst ebenso wie in den offenen Strukturen eines nicht mehr starren Individuations- und Vergesellschaftungstypus.
Man muß, wie gesagt, Adorno ein wenig gegen den Strich lesen, um in seinem Begriff der ästhetischen Moderne Elemente eines post-rationalistischen – »postmodernen« – Begriffs der Vernunft und des Subjekts zu finden; man muß seine Ästhetik hierzu gleichsam aus dem Zusammenhang einer dialektischen Philosophie der Versöhnung herauslösen. Wenn man dies aber tut, so kann man auch die systemischen und kulturellen Differenzierungsprozesse der Moderne – die Ausdifferenzierung der Ökonomie, des Rechts und der Politik oder die Trennung der »Geltungssphären« (Habermas) von Wissenschaft, Kunst und Moral – nicht mehr *als solche* aus der Perspektive einer wiederherzustellenden Einheit (qua »Versöhnung«) als Symptome einer verdinglichten Rationalität ansehen. Man muß also in der Tat, wie Lyotard es formuliert hat, die Hoffnung auf eine »Versöhnung der Sprachspiele« aufgeben. Das erste Ergebnis meiner Adorno-Lektüre scheint dem zweiten zu widersprechen; der Versuch einer Aufklärung dieses scheinbaren Widerspruchs aber scheint mir das auszumachen, was ich vorhin den »postmodernen Im-

puls« – den Impuls zu einer »Selbstüberschreitung der Vernunft« – genannt habe.

Ich möchte mit Lyotard von einer irreduziblen Pluralität ineinander verschachtelter Sprachspiele in jeder modernen – oder postmodernen – Gesellschaft ausgehen. Das gilt sowohl im Kantischen Sinne einer Unterscheidung zwischen theoretischer, praktischer und ästhetischer Vernunft (wissenschaftlichen, praktisch-moralischen und ästhetischen Diskursen) als auch im Wittgensteinschen Sinne eines Pluralismus von Lebensformen, von »lokalen« und ineinander vernetzten Sprachspielen, Legitimationsformen und von immer wieder neu zu schaffenden »Übergängen«, Klärungen und Einigungen – ohne die Möglichkeit eines alles umgreifenden »Metadiskurses« – sei es im Sinne einer »Großtheorie« oder einer Letztbegründung – und ohne die Chance, ja ohne die Wünschbarkeit eines allgemeinen Konsenses. Soweit, so gut. Daß dies aber noch keine Antwort auf die Frage nach einer »postmodernen« Vernunft ist, liegt auf der Hand; es ist gleichsam nur eine *negative* Antwort. Offen bleibt bei Lyotard das Problem einer »Gerechtigkeit ohne Konsens«: Für *wen* gilt die Regel »laßt uns in Ruhe spielen« und *wer* wird sich an sie halten? Am Ende seiner Abhandlung *Das postmoderne Wissen* hat Lyotard eine Alternative formuliert, die in gewissem Sinne die Naivitäten der liberalistischen und anarchistischen Traditionen noch einmal wiederholt: »Man sieht endlich, wie die Informatisierung der Gesellschaften sich auf diese Problematik auswirkt. Sie kann das ›erträumte‹ Kontroll- und Regulierungsinstrument des Systems des Marktes werden, bis zum Wissen selbst erweitert werden und ausschließlich dem Prinzip der Performativität gehorchen. Sie bringt dann unvermeidlich den Terror mit sich. Sie kann auch den über Metapräskriptionen diskutierenden Gruppen dienen, indem sie ihnen die Informationen gibt, die ihnen meistens fehlen, um in Kenntnis der Sachlage zu entscheiden. Die Linie, die man verfolgen muß, um sie in diesem Sinn umzulenken, ist im Prinzip sehr einfach: die Öffentlichkeit müßte freien Zugang zu den Speichern und Datenbänken erhalten.«[87] Eine frei diskutierende Öffentlichkeit – dies ist immerhin eine wichtige Konzession an den demokratischen Universalismus der Aufklärung, und es ist eine überraschende Bestätigung der Grundidee von Habermas' Theorie der kommunikativen Rationalität. Aber meinte Marx etwas anderes, wenn er davon sprach, daß die »frei assoziierten Produzenten« ihren Stoffwechsel mit der Natur unter ihre gemeinschaftliche Kontrolle bringen würden? Wenn ich eben von einer Naivität sprach, meinte ich nicht diese *Idee:* ich meinte vielmehr die Auffassung, es handle sich hier um etwas *Einfaches.* Was Lyotard beinah nur in Nebensätzen erwähnt – und dies ist charakteristisch für den gesamten postmodernistischen und postempiristischen Anarchismus – ist *das* Problem, um das sich die Freiheitskämpfe der unterdrückten Völker, die Emanzipationsbewegungen unterdrückter Minoritäten, der Kampf für eine demokratische Psychiatrie, ja letztlich alle Konflikte und Krisen der industriellen Gesellschaften heute drehen, *ohne daß irgendjemand* sagen könnte, wie und in welcher Form sich die Idee einer allgemeinen, individuellen und kollektiven Selbstbestimmung der Individuen, Gruppen und Völker verwirklichen ließe.

Was Lyotard für die Ebene des postmodernen *Wissens* formuliert hat, wäre für die Ebene einer postmodernen *Praxis* erst noch zu formulieren. Das würde aber bedeuten, die demokratischen und universalistischen Ideen der Aufklärung in eine politische Philosophie zu übersetzen, in der der Pluralismus der »Sprachspiele« als ein Pluralismus von Institutionen wiederkehrt – formellen und informellen, lokalen und zentralen, temporären und dauerhaften. Ein solcher Pluralismus von Institutionen aber, in dem sich die demokratische Selbst-Organisation von Gesellschaften und Gruppen verkörperte, wäre nicht möglich, ohne daß kommunikatives Handeln im Sinne von Habermas zum Mechanismus der Handlungskoordinierung würde und er wäre unmöglich, wenn nicht die Einzelnen eine Chance hätten, Gewohnheiten des rationalen Umgangs mit Konflikten zu *erwerben* und in die sekundäre Lebensform einer individuellen und kollektiven Selbstbestimmung *hineinzuwachsen.*

Entdeckt man in der Idee eines Pluralismus von Sprachspielen das Problem der demokratischen Institutionen, die eine Vermittlung der individuellen mit der kollektiven Selbstbestimmung möglich machen würden, so wird zweierlei klar: (1) *Erstens* wird klar, daß wir über den demokratischen Universalismus der Aufklärung nicht hinausgehen können, ohne ihn neu anzueignen, ohne ihn »aufzuheben«. Dies ist das große Thema von Habermas' ebensowohl wie von Castoriadis' Philosophie der modernen Gesellschaft. Dieser demokratische Universalismus läßt sich in seiner praktisch-politischen Bedeutung nicht zurückführen auf ein »Projekt« der Moderne im Sinne einer »identitätslogischen« Vernunft; dies zu tun wäre vielmehr schlechter Marxismus. Diesen demokratischen Universalismus kann man aber auch unter Bedingungen der »Postmoderne« nicht denken ohne fundamentale *Gemeinsamkeiten;* Gemeinsamkeiten, die diesen demokratischen Universalismus selbst betreffen – nicht als abstraktes Prinzip, sondern als Ensemble gemeinsamer Praktiken, Grundorientierungen und Bedeutungen. Vielleicht sollte man besser von Praktiken, Orientierungen und Bedeutungen *zweiter Ordnung* sprechen; es geht nicht um diese oder jene Werte, um diese oder jene Lebensform, um diese oder jene Art von institutionellen Abmachungen. Es geht vielmehr um einen gemeinsamen Boden von Gewohnheiten zweiter Ordnung: Gewohnheiten rationaler Selbstbestimmung, demokratischer Entscheidungsbildung und gewaltloser Konfliktbewältigung. Dies wäre eine Realisierung von »Freiheit, Gleichheit und Brüderlichkeit« in *dem* Sinne, daß die *Probleme*, die einmal in diesen Ideen sich artikulierten, einer erwachsenen Menschheit abhanden gekommen wären. (2) Die Reflexion auf die politische Dimension einer »pluralistischen« Vernunft macht *zweitens* klar, daß wir auch über die Marxsche Problemstellung nicht hinausgehen können, ohne sie neu anzueignen. Es ist schön und gut, in den Differenzierungsprozessen der Neuzeit – Ökonomie, Staat, Recht, Verwaltung, Wissenschaft, Kunst usw. – das Element eines unaufhebbaren Pluralismus einander durchdringender Lebenssphären, Systeme, Praktiken oder Diskurse zu sehen, ohne die Möglichkeit einer »Aufhebung« der Trennungen in einem Zustand allgemeiner Unmittelbarkeit und Harmonie. Gleichwohl bleibt das Problem einer, wie Habermas es ausgedrückt hat, Kontrolle des »Systems« durch die »Lebenswelt« bestehen, und dies Problem scheint mir weitaus komplexer zu sein, als Lyotard es in der eben zitierten Bemerkung anzudeuten scheint. Es geht nicht nur um die allgemeine Zugänglichkeit der Informationen, es geht vielmehr *sowohl* um das Verhältnis und die gegenseitige Durchdringung von technisch-systemisch-ökonomischen Prozessen einerseits und politischen Prozessen andererseits, *als auch* um die Organisation und Selbst-Organisation der politischen Prozesse als solcher.

Gegen den demokratischen Universalismus der bürgerlichen Gesellschaft müssen wir heute einwenden, daß die Demokratie irreal bleibt, solange sie nicht die Poren des gesellschaftlichen Lebens durchdringt; gegen Marx und den Anarchismus müssen wir einwenden, daß dies nicht einen Zustand allgemeiner Unmittelbarkeit und Harmonie bedeuten kann; gegen den Rationalismus insgesamt müssen wir einwenden, daß *weder* letzte Legitimationen *noch* letzte Lösungen zu erwarten sind. Aber das bedeutet *weder*, daß der demokratische Universalismus und sein autonomes Subjekt, *noch*, daß das Marxsche Projekt einer autonomen Gesellschaft, *noch*, daß die Vernunft zu verabschieden wäre. Es bedeutet vielmehr, daß der moralisch-politische Universalismus der Aufklärung, daß die Ideen individueller und kollektiver Selbstbestimmung, und daß die Vernunft und die Geschichte neu gedacht werden müssen. In dem Versuch, *dies* zu tun, würde ich einen genuin »postmodernen« Impuls zu einer Selbstüberschreitung der Vernunft sehen.

Ich habe früher auf die Bedeutung der Wittgensteinschen Sprachreflexion für eine (philosophische) »Rettung« der Vernunft und des Subjekts hingewiesen. Die Rettung, so könnte man sagen, liegt in der Radikalisierung einer Skepsis, die als radikalisierte zum Gegengift wird gegen die skeptische Destruktion der Vernunft und des Subjekts: gewissermaßen eine skeptische Rückkehr zum common sense. Indem die Wittgensteinsche Reflexion die Ideale der Vernunft, den Fundamentalismus der Letztbegründungen und den Utopismus letzter Lösungen zerstört, »lokalisiert« sie zugleich die Vernunft in einem Gewebe von sich verändernden Sprachspielen ohne Anfang und Ende und ohne letzte Sicherheiten, aber auch ohne feste Grenzen und ein für allemal geschlossene »Übergänge«. Die Vernunft in dieser Weise zu »lokalisieren«, heißt zugleich zu zeigen, daß es keine *prinzipielle* Grenze der rationalen Argumentation gibt und daß die »Vermögen« im Kantischen Sinne nicht, wie Lyotard gegen Habermas eingewandt hat, »durch einen Abgrund voneinander geschieden sind«.[88] Habermas hatte gesagt: »Die ästhetische Erfahrung erneuert ... nicht nur die Interpretationen der Bedürfnisse, in deren Licht wir die Welt wahrnehmen; sie greift gleichzeitig in die kognitiven Deutungen und die normativen Erwartungen ein und verändert die Art, wie alle diese Momente aufeinander verweisen.«[89] Habermas behauptet hier, daß ästhetische Erfahrungen, kognitive Deutungen und normative Erwartungen nicht voneinander *unabhängig* sind; und das heißt natürlich auch, daß ästhetische, moralisch-praktische und »Tatsachen«-Diskurse nicht durch einen Abgrund voneinander getrennt, sondern auf vielfache Weise miteinander verschränkt sind – auch wenn ästhetische, moralische oder Wahrheits-Geltung unterschiedliche Kategorien von Geltung darstellen, die sich nicht auf *eine* Kategorie von Geltung reduzieren lassen.[90] Das, worum es hier geht (worum es allein gehen kann), ist nicht eine »Versöhnung der Sprachspiele«, sondern die wechselseitige »Durchlässigkeit« der Diskurse füreinander: die Aufhebung der *einen* Vernunft in einem Zusammenspiel pluraler Rationalitäten.[91]

VIII. Coda

Die Dialektik von Moderne und Postmoderne wäre noch zu schreiben. Vor allem aber wäre sie noch praktisch auszutragen. »Das Zeitalter«, schreibt Castoriadis, »verlangt nach einer Veränderung der Gesellschaft. Diese Veränderung ist jedoch ohne Selbstüberschreitung der Vernunft nicht zu haben.«[92] Die Postmoderne, richtig verstanden, wäre ein Projekt. Der Postmodernismus aber, soweit er wirklich mehr ist als eine bloße Mode, ein Ausdruck der Regression oder eine neue Ideologie, ließe sich am ehesten noch verstehen als eine Suchbewegung, als ein Versuch, Spuren der Veränderung zu registrieren und die Konturen jenes Projekts schärfer hervortreten zu lassen.

Anmerkungen

1 Jean-François Lyotard, *Intensitäten*, Berlin 1978, S. 104.
2 Ihab Hassan, »The Critic as Innovator: The Tutzing Statement in X Frames«; *Amerikastudien*, Jg. 22, Heft 1, 1977, S. 55.
3 A.a.O., S. 57.
4 Interview mit Frederic Jameson, *Diacritics*, Vol. 12, Herbst 1982, S. 82.
5 A.a.O., S. 83.
6 A.a.O.
7 Vgl. Jean-Francois Lyotard, *Apathie in der Theorie*, Berlin 1979, S. 36.
8 Ders., *Essays zu einer affirmativen Ästhetik*, Berlin 1982, S. 17.

9 A.a.O., S. 21.
10 A.a.O., S. 121.
11 *Tod der Moderne.* Eine Diskussion (Konkursbuch), Tübingen 1983, S. 25.
12 A.a.O., S. 103.
13 Jean-Francois Lyotard, *Das postmoderne Wissen,* Bremen 1982, S. 121.
14 Vgl. a.a.O., S. 123.
15 Gespräch zwischen J. F. Lyotard und J. P. Dubost, a.a.O., S. 131.
16 Vgl. a.a.O., S. 71 ff.
17 Jean-Francois Lyotard, »Beantwortung der Frage: Was ist postmodern?«, *Tumult* 4, S. 140.
18 Theodor W. Adorno, *Ästhetische Theorie,* Frankfurt 1970, S. 41.
19 Jean-Francois Lyotard, »Beantwortung der Frage: Was ist postmodern?«, a.a.O., S. 140.
20 Vgl. a.a.O., S. 140 f.
21 A.a.O., S. 142.
22 Vgl. Charles Jencks, *Die Sprache der postmodernen Architektur,* Stuttgart 1978; Albrecht Wellmer, »Kunst und industrielle Produktion«, *Merkur* 416, 1983 (37. Jg., Heft 2), S. 138 ff. In diesem Band S. 124 ff.
23 Vgl. Jencks, a.a.O., S. 87.
24 Peter Bürger, »Das Altern der Moderne«, *Adorno-Konferenz 1983,* (Hrsg. L. v. Friedeburg u. J. Habermas), Frankfurt 1983, S. 177 ff.
25 *Ästhetische Theorie,* a.a.O., S. 315 f.; vgl. Bürger a.a.O., S. 186.
26 Vgl. Bürger, a.a.O., S. 191, 194.
27 Vgl. Albrecht Wellmer, »Wahrheit, Schein, Versöhnung. Adornos ästhetische Rettung der Modernität«, in diesem Band, S. 26 ff.
28 »Beantwortung der Frage: Was ist postmodern?, a.a.O., S. 137.
29 A.a.O., S. 134.
30 A.a.O., S. 136.
31 A.a.O., S. 142.
32 A.a.O., S. 138 f.
33 Vgl. a.a.O., S. 139.
34 Vgl. hierzu A. Wellmer, »Wahrheit, Schein, Versöhnung. Adornos ästhetische Rettung der Modernität«, a.a.O., S. 26 ff.
35 J. F. Lyotard, »Das Erhabene und die Avantgarde«, *Merkur* 424, März 1984 (38. Jg., Heft 2), S. 151 ff.
36 A.a.O., S. 159.
37 A.a.O.
38 Th. W. Adorno, »Voraussetzungen«, in: *Noten zur Literatur,* Ges. Schriften Bd. 11, Frankfurt 1974, S. 433.
39 R. M. Adams, »Scrabbling in the ›Wake‹«, *New York Review of Books,* May 31, 1984, S. 43.
40 Vgl. K. Reichert, »Von den Rändern her oder Sortes Wakeianae«, in:

L. Dällenbach und Ch. L. Hart Nibbrig (Hrsg.); *Fragment und Totalität,* Frankfurt 1984, S. 306.

41 Zitiert nach Reichert, a.a.O., S. 302.

42 »Das Altern der Kunstwerke ist nur auf eine sehr oberflächliche Weise, nämlich für Restauratoren, ein Akt der Zerstörung. Altern heißt im besten Sinne Kompensation der Zumutung, die jedes Kunstwerk für den Betrachter darstellt, durch Neutralisierung in der Gewöhnung. Die schöpferische Kraft der Eingemeindung durch Vergessen, durch Ablagerung auf den Haufen des eigentlich Entbehrlichen, schafft die Voraussetzung dafür, daß alte Formen neue Bedeutungen zu transportieren vermögen.« Vgl. Bazon Brock, »Die Ruine als Form der Vermittlung von Fragment und Totalität«, in: L. Dällenbach und Ch. L. Nibbrig (Hrsg.), *Fragment und Totalität,* a.a.O., S. 138.

43 Walter Benjamin, *Ursprung des deutschen Trauerspiels. Ges. Schriften Bd.* 1.1, Frankfurt 1974, S. 357/358.

44 B. Brock, a.a.O., S. 138.

45 A.a.O.

46 Axel Honneth, *Kritik der Macht. Foucault und die Kritische Theorie,* Dissertation Berlin 1982, S. 138.

47 Max Horkheimer und Theodor W. Adorno, *Dialektik der Aufklärung.* Amsterdam 1955.

48 Vgl. Theodor W. Adorno, *Negative Dialektik. Ges. Schriften Bd. 6.* Frankfurt 1973, S. 36.

49 Vgl. a.a.O., S. 21.

50 *Dialektik der Aufklärung,* a.a.O., S. 279.

51 A.a.O., S. 41.

52 Vgl. Michel Foucault, *Überwachen und Strafen,* Frankfurt am Main 1976. S. 238 ff.

53 Vgl. *Dialektik der Aufklärung,* a.a.O., S. 24.

54 *Negative Dialektik,* a.a.O., S. 27.

55 *Dialektik der Aufklärung,* a.a.O., S. 47.

56 Auf diese Pointe des sog. Privatsprachenarguments hat insbesondere Saul A. Kripke hingewiesen in: *Wittgenstein on Rules and Private Language,* Oxford 1982.

57 Cornelius Castoriadis, *Gesellschaft als imaginäre Institution,* Frankfurt 1984.

58 A.a.O., S. 416.

59 A.a.O., S. 520.

60 Manfred Frank, *Was ist Neostrukturalismus?,* Frankfurt 1984, S. 511.

61 Derrida ist ein zu komplexer Autor, als daß ich seiner Philosophie an dieser Stelle gerecht werden könnte. Ich beziehe mich hier nur auf *eine* Gedankenfigur, von der ich allerdings glaube, daß Frank sie angemessen wiedergibt. Vgl. insbes. J. Derrida, »Signature Event Context«, in: *Glyph. The Johns Hopkins Studies 1* (1977); »Limited Inc«, in: *Glyph.*

The Johns Hopkins Studies 2 (1977). Übrigens möchte ich keineswegs Searles Position gegen Derrida verteidigen; vgl. J. R. Searle, »Reiterating the Differences. A Reply to Derrida«; in: *Glyph. The Johns Hopkins Textual Studies 1* (1977).

62 Kripke, a.a.O., S. 55.

63 Ich sage die *radikale* hermeneutische Skepsis. Natürlich bestreite ich nicht, daß es guten Sinn hat zu sagen, einem Autor sei der Sinn der Texte, die er schreibt, nicht »präsent«. Das heißt, ich vertrete keine intentionalistische Theorie der Interpretation. Aber hat es den gleichen Sinn, wenn ich sage, mir sei die Bedeutung eines bestimmten Wortes nicht präsent? Der Witz liegt, glaube ich, darin, daß dies zu sagen in manchen Fällen angemessen ist, in anderen nicht. Wenn man nun sagt, daß es keinen Fall geben kann, wo es *nicht* angemessen wäre, so führt man ein neues Kriterium der Angemessenheit ein. Ich glaube aber, daß die Gründe hierfür weniger aus einer Selbstkritik der Sprache als aus der Selbstkritik intentionalistischer Bedeutungs*theorien* stammen.

64 L. Wittgenstein, *Philosophische Untersuchungen*, Schriften 1, Frankfurt 1960, S. 381 (u. 199).

65 *Negative Dialektik*, a.a.O., S. 17.

66 A.a.O., S. 21.

67 A.a.O., S. 27.

68 *Dialektik der Aufklärung*, a.a.O., S. 54.

69 Vgl. a.a.O., S. 55.

70 Dies ist auch der zentrale Gedanke von Jürgen Habermas' Adorno-Kritik (vgl. vor allem J. Habermas, *Theorie des kommunikativen Handelns*, 2 Bde., Frankfurt 1981; Bd. 1, S. 489 ff., insbes. S. 522 ff.). Habermas beschreibt die Grenzen der Subjektphilosophie folgendermaßen: »Unter ›Objekt‹ versteht die Subjektphilosophie alles, was als seiend vorgestellt werden kann; unter Subjekt zunächst die Fähigkeiten, sich in objektivierender Einstellung auf solche Entitäten in der Welt zu beziehen und sich der Gegenstände, sei es theoretisch oder praktisch, zu bemächtigen. Die beiden Attribute des Geistes sind Vorstellen und Handeln. ... Diese beiden Funktionen des Geistes sind ineinander verschränkt: die *Erkenntnis* von Sachverhalten ist strukturell auf die Möglichkeit von *Eingriffen* in die Welt als der Gesamtheit von Sachverhalten bezogen; und erfolgsorientiertes Handeln verlangt wiederum die Kenntnis des Wirkungszusammenhanges, in den es interveniert.« (a.a.O., S. 519) Die Aufdeckung einer *kommunikativen* Dimension der Sprache könnte man demgegenüber mit Habermas formal dadurch charakterisieren, daß die symmetrisch-performative Beziehung zwischen *Subjekt* und *Subjekt* gleichberechtigt neben die asymmetrische Beziehung zwischen *Subjekt* und *Objekt* tritt. Die Objektivierung der Wirklichkeit verweist zurück auf eine Verständigung *in* der Sprache. Hinter

der monologischen Struktur des vorstellenden und instrumentell handelnden Subjekts taucht somit eine kompliziertere *dialogische* Struktur auf: Zwei Subjekte verständigen sich *miteinander über etwas* in der Welt. In der Grammatik der Personalpronomina der ersten und zweiten Person spiegelt sich die symmetrischperformative Beziehung zwischen Sprecher und Hörer der »verständigungsorientierten« Rede zueinander; objektive Tatsachen kann es nur in einem Raum solcher Beziehungen zwischen potentiellen Sprechern und Hörern geben – wobei in den grammatischen Beziehungen zwischen der ersten, zweiten *und* dritten Person zugleich die *besonderen* Bedingungen einer Objektivierung *sozialer* Tatsachen sich spiegeln.

71 Theodor W. Adorno, »Fragment über Musik und Sprache«, *Gesammelte Schriften Bd. 16,* Frankfurt 1978, S. 252.

72 *Negative Dialektik,* a.a.O., S. 26.

73 Thomas Bernhard, *Wittgensteins Neffe,* Frankfurt 1982, S. 13 f.

74 Vgl. Anm. 70. Habermas' Theorie des kommunikativen Handelns ist die systematische Entfaltung dieses Gedankens. Mein Argument gegen Adorno ist indes unabhängig von der Systematik der Habermasschen Sprachtheorie.

75 Vgl. *Negative Dialektik,* a.a.O., S. 34.

76 Vgl. hierzu Mary Douglas, *Purity and Danger,* London 1966.

77 Vgl. *Negative Dialektik,* a.a.O., S. 36. Adornos Denken kreist unaufhörlich um die Idee einer *gewaltlosen* Einheit – als Form des Erkennens, als Form der Individuierung, und als Form der gesellschaftlichen Solidarität. Ausdrücke wie »Kohärenz des Nicht-Identischen« oder »gewaltlose Synthesis« stehen für diese Idee. Wohl das tiefste Problem Adornos liegt in der Frage, wie die beiden Gestalten der Einheit – System- und Identitätszwang von »Begriff« und »Ichprinzip« auf der einen Seite, die gewaltlose Kohärenz des Nicht-Identischen auf der anderen – aufeinander zu beziehen seien. In zwei charakteristischen Wendungen aus der *Negativen Dialektik* heißt es: »Einheit und Einstimmigkeit aber sind zugleich die schiefe Projektion eines befriedeten, nicht länger antagonistischen Zustands auf die Koordinaten herrschaftlichen Denkens« (S. 35). Und: »Die Konzeption des Systems erinnert, in verkehrter Gestalt, an die Kohärenz des Nicht-Identischen, die durch die deduktive Systematik gerade verletzt wird.« (S. 36) In solchen Wendungen steckt zugleich Adornos aporetische *Verteidigung* der diskursiven Vernunft gegen den *Irrationalismus* (vgl. a.a.O., S. 20). Aber Adornos Philosophie fehlen die kategorialen »Freiheitsgrade«, um die Frage, von der ich sprach, wirklich zu beantworten.

78 *Negative Dialektik,* a.a.O., S. 21.

79 Vgl. Ludwig Wittgenstein, *Tractatus logico-philosophicus, Schriften 1,* a.a.O., Satz 5.632 (S. 65).

80 *Negative Dialektik*, a.a.O., S. 27.
81 A.a.O., S. 29.
82 A.a.O., S. 44.
83 Vgl. a.a.O., S. 33 ff.
84 So der Titel eines 1983 erschienenen Sonderbandes des *Konkursbuchs*, vgl. Anm. 11 oben.
85 Zum folgenden Selbstzitat vgl. »Wahrheit, Schein, Versöhnung. Adornos ästhetische Rettung der Modernität«, a.a.O., S. 27.
86 Vgl. Jürgen Habermas, »Können komplexe Gesellschaften eine vernünftige Identität ausbilden?«, in: J. Habermas, D. Henrich, *Zwei Reden*, Frankfurt 1974, S. 68 ff.
87 *Das postmoderne Wissen*, a.a.O., S. 124.
88 »Beantwortung der Frage: Was ist postmodern?«, a.a.O., S. 142.
89 Jürgen Habermas, *Die Moderne – ein unvollendetes Projekt*, Theodor-W.-Adorno-Preis 1980 der Stadt Frankfurt am Main (Hrsg. Dezernat Kultur und Freizeit der Stadt Frankfurt am Main), Frankfurt 1981, S. 23.
90 Vgl. Albrecht Wellmer, »Wahrheit, Schein, Versöhnung«. A.a.O., S. 38 f.
91 Vgl. Martin Seel, *Die Kunst der Entzweiung. Zum Begriff der ästhetischen Rationalität.* Dissertation Konstanz 1984.
92 Cornelius Castoriadis, *Durchs Labyrinth. Seele, Vernunft, Gesellschaft.* Frankfurt 1981, S. 192.

Kunst und industrielle Produktion
Zur Dialektik von Moderne und Postmoderne*

I.

Schönheit, nach Kant Zweckmäßigkeit ohne Zweck, war ursprünglich in die Zweckzusammenhänge der Gesellschaft verwoben, kein Phänomen eigenen Rechts. Das Schöne war eingebunden entweder in Funktionen des Sakralen – und damit religiösen Zwecken dienstbar – oder in Funktionen des Profanen – und damit ein Moment der handwerklichen Produktion. Es war, in Octovio Paz' Worten, entweder »der Nützlichkeit« oder »der magischen Wirksamkeit untergeordnet«.[1] Der Aufstieg der autonomen Kunst ist zugleich der Aufstieg der industriellen Produktionsweise: beide verdanken sich einem Prozeß der kulturellen Modernisierung, der – in Max Webers Begriff – zur »Entzauberung« der Welt, zum Aufstieg der bürgerlichen Klasse und zur Durchsetzung der kapitalistischen Produktionsweise geführt hat. Indem die Kunst sich aus religiösen und kultischen Zweckzusammenhängen löst, wird sie autonom; zugleich wandern die entmächtigten religiösen Gehalte als »Aura« – in Benjamins Ausdruck – in die Kunstwerke ein. »Die Religion der Kunst«, sagt Octavio Paz, »entstand aus den Trümmern des Christentums«.[2] Umgekehrt emanzipiert sich mit der fortschreitenden »Rationalisierung« der industriellen Produktion die Nützlichkeit von der Schönheit; unter Bedingungen industrieller Produktion erscheint der ästhetische Überschuß, der die Produkte des Handwerks beseelte, als obsolet, so als müßte beim industriell gefertigten Gebrauchsgegenstand jeder ästhetische Überschuß zur falschen Geste oder zur illusionistischen Dekoration verkommen. Eine Erfahrung dieser Art liegt den funktionalistischen Postulaten zugrunde, wie sie zu Beginn des Jahrhunderts nicht nur von Vertretern des Werkbundes, sondern vor allem auch von dessen kompetentestem Kritiker, Adolf Loos, vertreten wurden. Dem funktionalistischen Credo zufolge können industrielle Produkte

* Vortrag aus Anlaß des 75-jährigen Bestehens des Deutschen Werkbundes in München am 10. Oktober 1982, (in leicht gekürzter Form zuerst veröffentlicht im MERKUR Nr. 416, 37. Jahrg., Heft 2, 1983).

nur »schön« genannt werden, sofern sie materialgerecht und ihrem Zwecke angemessen konstruiert sind. Während somit in der autonomen Kunst die ästhetische Funktion von allen externen Zwecken sich löst, scheint sie im Produkt der Industrie mit der Zweckmäßigkeit zu verschmelzen. Der Rückzug der Schönheit von allen externen Zwecken in der autonomen Kunst bewirkt, daß die Kunstwerke die kultische Aura der religiösen Symbole in sich hineinziehen, daß sie zu in sich kreisenden Bedeutungszusammenhängen werden, die nur noch immanent, vermöge ihrer eigenen Komplexion, über sich selbst hinausweisen. Die Reduzierung des Schönen auf das Zweckmäßige dagegen bewirkt, daß die industriell gefertigten Gegenstände alles Bedeutungshafte von sich abstoßen und zum Zeichen ihrer Funktion, zum bloßen Mittel werden. Unter diesem Gesichtspunkt erscheinen, wie Octavio Paz es darstellt, die Produkte der Handwerkskultur als ein Mittleres, als eine Vermittlung: Diese Produkte haben ein Eigengewicht, ein Eigenleben und eine Eigenbedeutung über ihre unmittelbare Nützlichkeit hinaus; Eigenschaften, wodurch sie zu Kristallisationskernen eines konkreten Raumes und einer konkreten Zeit zu werden vermochten, der gleichsam mit Sinn und zugleich *sinnlich* aufgeladenen Struktur eines bewohnbaren Ortes. In Octavio Paz' Worten: »Die Schönheit des industriellen Designs ist konzeptueller Art: wenn sie etwas ausdrückt, so die Richtigkeit einer Formel. Sie ist das Zeichen einer Funktion. Ihre Rationalität schließt sie in eine Alternative ein: sie ist brauchbar oder nicht brauchbar. Im letzteren Fall muß man sie auf den Müll werfen. Der handwerkliche Gegenstand nimmt uns nicht allein wegen seiner Nützlichkeit für sich ein. Er lebt in Komplizenschaft mit unseren Sinnen. ... Das Gefallen, das wir am handwerklichen Gegenstand haben, verdankt sich einer doppelten Überschreitung: des Kults der Nützlichkeit und der Religion der Kunst.«[3]

Paz spricht von einer »Überschreitung«, wo nach dem bisher Gesagten von einer Überschreitung eher im umgekehrten Sinne die Rede sein sollte; es ist ja die handwerkliche Produktionsweise selbst, die mit dem Auseinandertreten von Kunst und Industrie »überschritten« wurde. An dieser Feststellung kann auch Paz' Hinweis auf das neuerliche Wiederaufleben handwerklicher Produktionsformen im *Innern* der Industriegesellschaften – gleichsam in den Nischen der kapitalistischen Ökonomie – nichts ändern. Gleichwohl enthält die Formel von der doppelten Überschreitung des Kults der Nützlichkeit und der Religion der Kunst mehr als nur eine Beschwörung von Vergangenem. Am Produkt des Handwerks wird ein ungelöstes Problem der industriellen Gesellschaft sinnfällig gemacht: daß nämlich das Autonomwerden der Kunst weithin mit einer ästhetischen Verrohung der Lebenswelt einhergegangen ist. Gegen diese ästhetische Verrohung der Lebenswelt durch die industrielle Produktion richteten sich die Anstrengungen des Werkbundes. Die Formel von der doppelten Überschreitung des Kults der Nützlichkeit und der Religion der Kunst beschreibt ziemlich präzise das Programm, das die Gründer des Werkbundes, und zwar unter Bedingungen einer *industriellen* Produktionsweise, einmal zu realisieren hofften.

II.

Bei seiner Gründung im Jahre 1907 hat der Deutsche Werkbund sich gewissermaßen an die Spitze der industriellen Entwicklung zu setzen versucht.[4] Seine führenden Vertreter glaubten, daß technologischer und ästhetischer Modernismus langfristig zu einer Art von Konvergenz gebracht werden könnten. Sie hofften, daß die seit dem Ende der handwerklichen Produktionsweise auseinandergetretenen Bereiche von Kunst und Industrie miteinander versöhnt werden, daß die Funktionen des Künstlers, des Technikers und des Kaufmanns – vormals in der Person des Handwerkers miteinander verbunden – auf einer höheren Stufe der Differenzierung wieder zu einer harmonischen Einheit verknüpft werden könnten. Das Resultat würde die Freisetzung und Entfaltung einer genuin modernen ästhetisch-moralischen Kultur sein.
Wenn man von einer zentralen, den ursprünglichen Programmen des Werkbundes weithin zugrundeliegenden Illusion sprechen könnte, so wäre es wohl diese: daß die Interessen an einer Humanisierung der Arbeitswelt, an der Ausdehnung kapitalistischer Märkte und an der Entwicklung einer neuen Form- und Materialgesinnung letztlich miteinander konform liefen oder doch zur Konvergenz gebracht werden könnten.[5] Die großen Leistungen des Werkbundes bis zum Ende der zwanziger Jahre

liegen gleichsam unterhalb der Schwelle der von den Gründern antizipierten Kulturerneuerung, nämlich dort, wo es um den angemessenen Umgang mit neuen Materialien und Konstruktionsverfahren bei einigermaßen eindeutigen – und das heißt: eingegrenzten – Problemstellungen ging; Beispiele wären die wegweisenden Fabrikbauten von Behrens und Gropius, die Stuttgarter Weißenhofsiedlung oder der Entwurf moderner Formen für Gegenstände des alltäglichen Gebrauchs. Demgegenüber haben nicht nur die beiden Weltkriege, sondern auch die Dynamik der industriellen Entwicklung selbst inzwischen zur Evidenz gebracht, daß die von den Künstlern, Architekten und Sozialpolitikern des Werkbundes erträumte kulturelle Erneuerung keineswegs in der Logik dieser Entwicklung lag; anders als für einen wichtigen Teil der kulturellen Avantgarde zu Beginn des Jahrhunderts und noch in den zwanziger Jahren ist für die heutige kulturelle Avantgarde die technische Modernisierung vielfach zu einem Synonym für Umwelt- und Traditionszerstörung geworden: in dem Maße, in dem der Prozeß der Modernisierung die tiefsten Schichten überkommener – städtischer wie ländlicher – Lebensformen anzugreifen beginnt, in dem Maße, in dem er die ökologischen Gleichgewichte und damit die Naturbasis des menschlichen Lebens bedroht, in dem Maße sind auch die zerstörerischen Folgen des industriellen Fortschritts allgemein sichtbar geworden. Heute liegt ein Bündnis zwischen Kunst und Ökologie näher als eines zwischen Kunst und Industrie.
Die Geschichte des Werkbundes ist zutiefst verbunden mit den funktionalistischen und konstruktivistischen Impulsen der modernen Architektur und des modernen Industrie-Designs. Zugleich läßt sich der Werkbund weithin verstehen als eine Instanz des Einspruchs gegen den Zug zur Barbarei, der einer sich selbst überlassenen kapitalistischen Massenproduktion innewohnt: diese beiden zentralen Motive ergänzen einander, zugleich stehen sie aber in einem Spannungsverhältnis zueinander. Schon früh erkannten auch »modernistische« Vertreter des Werkbundes, daß funktionalistische Postulate nicht ausreichten, um eine ästhetisch-moralische Erneuerung der Kultur gegen den Eigensinn des kapitalistischen Modernisierungsprozesses durchzusetzen. Das meint die von Muthesius und anderen gebrauchte Formel von dem »Geistigen« der Form, welches gegenüber dem bloß Zweckmäßigen und der Materialgerechtigkeit erst »Schönheit« in einer

Welt der industriellen Produktion ermögliche. Mit dem »Geistigen« der Form sollte zugleich die Rolle des Künstlers im Zusammenspiel von Kunst und Industrie bezeichnet werden. Gegen eine solche Rollenverteilung zwischen Kunst und Industrie hatte freilich Adolf Loos schon 1908, kurz nach der Gründung des Werkbundes, mit polemischer Schärfe eingewandt, »die Verquikkung der Kunst mit dem Gebrauchsgegenstand« bedeute »die stärkste Erniedrigung, die man ihr antun kann«. Denkt man an die Geschichte des industrial design, so erscheint dieser Einwand rückblickend als durchaus nicht unberechtigt; denkt man andererseits an die realen gesellschaftlichen Probleme, die den Anstoß zur Gründung des Werkbundes gaben und die ihn immer wieder am Leben erhielten, so sieht man, daß auch Loos' konsequent funktionalistische Parolen keinen Schlüssel zu ihrer Lösung enthielten. Welches aber wären die tatsächlichen Grenzen des Funktionalismus, auf die jene Formel vom »Geistigen« der Form bloß hindeutet?

Ich möchte den Begriff des »Funktionalismus« hier in einem weiteren Sinne verwenden, so daß er die Forderung der Materialgerechtigkeit und Durchsichtigkeit der Konstruktion ebenso umfaßt wie das Postulat »form follows function.« Der Funktionalismus hat zunächst unzweifelhaft eine ideologiekritische Bedeutung gehabt: gegenüber dem Industriekitsch, gegenüber dem Eklektizismus und Historismus der Architektur zur Zeit der Jahrhundertwende bedeuten die funktionalistischen Postulate so etwas wie eine moralisch-ästhetische Reinigung, vergleichbar der Sprachkritik von Karl Kraus oder des frühen Wittgenstein. So wie der frühe Wittgenstein forderte »Worüber man nicht reden kann, darüber soll man schweigen«, so könnte man die funktionalistischen Postulate zusammenfassen in der Forderung »Was keine Bedeutung (keine Funktion) hat, das soll auch nicht in Erscheinung treten (nämlich als hätte es eine Bedeutung)«. Und wie die sprachliche Askese beim frühen Wittgenstein zu einer äußersten Verdichtung der ästhetischen Qualität seiner Prosa führt, so könnte man von den besten Werken der neuen Architektur behaupten, daß die Klarheit der funktionalistischen Sprache in ihnen zu einer äußersten ästhetischen Verdichtung geführt hat, die aus der Verschmelzung von Konstruktion, Zweck und Ausdruck herrührt. So wie aber schon im Logischen Positivismus, verglichen mit der Philosophie des frühen Wittgenstein, der

Impuls zur Sprachreinigung in die Hypostasierung der naturwissenschaftlich-technischen Rationalität umschlägt, so im Vulgärfunktionalismus die Kritik des Ornaments in die Hypostasierung des Eigensinns der technologischen Entwicklung. Dies bedeutete unter anderem eine äußerste Reduktion im Verständnis der grundlegenden Funktionszusammenhänge selbst: Licht, Luft, hygienische Bedürfnisse, Erfordernisse des Verkehrs – niemand kann die Wichtigkeit dieser Bedürfnisse bestreiten, besonders solange sie massenhaft unbefriedigte waren; aber man kann kaum sagen, daß sie einen Begriff dessen geben, was den Funktionszusammenhang der europäischen Stadtkultur einmal ausgemacht hat, oder einen Begriff dessen, was eine moderne Stadt sein könnte, die das humane Potential der Technik gegen ihre destruktiven Potentiale zur Geltung gebracht hätte. In Analogie zu Marx' Kritik am mechanischen Materialismus könnte man von einem »mechanischen Funktionalismus« sprechen, dem ein »historischer«, das heißt ein Geschichte reflektierender und in sich aufbewahrender Funktionalismus gegenübergestellt werden könnte.
Züge eines mechanischen Funktionalismus, einer technokratischen Vereinfachung finden sich auch bei großen Architekten der Moderne, auch in den utopischen Entwürfen Le Corbusiers. Aber gerade Corbusier repräsentiert in seinen besten Bauwerken die *andere* Seite der modernen Architektur, ihr ästhetisches Potential. Selbst Corbusiers »menschliche Freuden« – air, son, lumiere – lassen sich, wie Julius Posener betont hat, kaum angemessen verstehen als physiologische Bedürfnisse im Sinne des Vulgärfunktionalismus. Es scheinen vielmehr Freuden gemeint zu sein, wie sie vielleicht einmal die Bauwerke der griechischen Antike einer noch mythischen Landschaft abgewannen. Bei diesem großen Architekten, der, wie Posener sagt, »Europa von hinten packte«,[7] kommen das radikal Moderne und das Archaische zur Berührung; die befreite Architektur erscheint nicht zuletzt als Freisetzung von Impulsen und Erfahrungen, die im Prozeß der Entzauberung der Welt verschüttet wurden, als gelungene Verschränkung von Ursprung und Utopie. Die besten Gebäude Corbusiers erscheinen wie beredte Objekte – darin übersteigen sie jeden vulgarisierenden Funktionalismus –; und es ist, als schlügen in ihnen die toten Materialien die Augen auf – darin zeigen sie die Möglichkeiten des Konstruktivismus.

Demgegenüber krankt der Funktionalismus, so wie er historisch wirksam geworden ist, an formalen und mechanischen Simplifizierungen, die ihn dem technokratischen Zeitgeist kongenial werden ließen. Insbesondere krankt er daran, daß er keine angemessene Reflexion auf die Funktions- und Zweckzusammenhänge einschließt, *auf die hin* funktional zu produzieren und zu bauen wäre. Nur so war es möglich, daß ein vulgarisierter Funktionalismus bruchlos in den Dienst eines Modernisierungsprozesses treten konnte, der vor allem Kapitalverwertungsinteressen sowie Imperativen bürokratischer Planung gehorchte. Erst als in den sechziger Jahren die letzten – oder vorletzten – ornamentalen Fassaden der Wilhelminischen Ära der Modernisierungswelle im Nachkriegsdeutschland zum Opfer zu fallen drohten, entstand ein verbreitetes Bewußtsein dessen, daß noch in den von Funktionalisten verteufelten Wilhelminischen Schnörkelfassaden mehr von der Urbanität und Humanität der europäischen Stadtkultur aufbewahrt war als in den funktionalistischen Einöden modernisierter Stadtquartiere. Gewiß, die überbordenden und eklektizistischen Fassaden der achtziger und neunziger Jahre des vorigen Jahrhunderts mögen, wie W.J. Siedler in *Die gemordete Stadt* 1964 betont,[8] eine schlechte und unproportionierte Architektur verdeckt haben; mit der Beseitigung der ornamentalen Fassaden wurden aber nicht nur die schlechten Maße der darunter liegenden Architektur in ihrer Nacktheit sichtbar, sondern auch die der funktionalistischen Bewegung eigentümliche Dialektik. Denn ein Funktionalismus, der sich die Definition der grundlegenden Funktionen und ihre Prioritätsverhältnisse unkritisch vorgeben läßt, kann am Ende nur die Sanktionierung einer im Zeichen von Kapitalverwertungs-, Verkehrsplanungs- und Verwaltungsimperativen vollzogenen Verwüstung der Städte bedeuten. Wenn die ornamentalen Fassaden der Jahrhundertwende verlogen und ideologisch waren, so enthielten sie doch noch eine Erinnerung an urbane Lebensformen und ein Versprechen ihrer Fortsetzung, während die bloße Zerstörung eines zum Ornament gewordenen Überbaus, hier wie überall, nur die Trostlosigkeit dessen, was als »Basis« darunter liegt, zutage fördert und zugleich die Erinnerungsspuren auszulöschen droht, an denen allein verändernde Impulse sich entzünden könnten. Die funktionalistische Modernisierung westdeutscher Nachkriegsstädte trägt Züge einer Selbstverstümmelung; als sollte durch sie die Verwandlung des

Menschen in ein bloß noch funktionierendes und geschichtsloses Wesen nach Kräften beschleunigt werden. Dieser Zug fort von der Stadt – im überlieferten Sinne – und hin zur Geschichtslosigkeit moderner Nomadensiedlungen vollendet sich in den durchsonnten und durchgrünten, familien- und verkehrsgerechten Schlafstädten der Nachkriegszeit. Selbstverständlich kann niemand die ungeheuren Fortschritte des allgemeinen Wohnkomforts bestreiten, die die Modernisierung der Städte *auch* mit sich gebracht hat; insofern sollte man sich vor Mietskasernen-Romantik hüten. Was aber bei dieser Modernisierung weithin verloren ging, war die Stadt als öffentlicher Raum, als Durchdringung einer Mannigfaltigkeit von Funktionen und Kommunikationsformen, oder – in Jane Jacobs Worten – die Stadt im Sinne »organisierter Komplexität«;[9] kurz, die Stadt, wie sie in der europäischen Geschichte zu einem Ort der Bürgerfreiheit ebenso werden konnte wie zu einem kulturellen Kraftzentrum.

III.

Theodor W. Adorno hat in einer 1965 vor dem Werkbund gehaltenen Rede noch einmal die funktionalistischen und konstruktivistischen Impulse der modernen Architektur gegen deren vulgärfunktionalistische Verwirklichung in Schutz genommen. »Architektur«, so sagt er dort, »dürfte desto höheren Ranges sein, je inniger sie die beiden Extreme, Formkonstruktion und Funktion, durcheinander vermittelt.«[10] Adorno denkt an eine gegenseitige Durchdringung von Materialien, Formen und Zwecken, und zwar so, daß keines dieser Momente als ein Letztes, als »Urphänomen« zu verabsolutieren wäre. Auch die Materialien und Formen sind nichts geschichtslos Gegebenes; in ihnen hat sich Geschichte niedergeschlagen, ist Geist »aufgespeichert«. »Künstlerische Phantasie erweckt das Aufgespeicherte, indem sie des Problems gewahr wird. Ihre Schritte, stets minimal, antworten auf die wortlose Frage, welche die Materialien und Formen in ihrer stummen Dingsprache an sie richten. Dabei schießen die getrennten Momente, auch Zweck und immanentes Formgesetz, zusammen.«[11] Erst in diesem Vermittlungszusammenhang von Materialien, Formen und Zwecken liegt für Adorno das tiefere

Recht des funktionalistischen Impulses beschlossen, auch das, was im Funktionalismus über bloße Zweckmäßigkeitsrelationen hinausweist. »Raumgefühl«, so sagt er, »ist ineinandergewachsen mit den Zwecken; wo es in der Architektur sich bewährt als ein die Zweckmäßigkeit Übersteigendes, ist es zugleich den Zwecken immanent. Ob solche Synthesis gelingt, ist wohl ein Kriterium großer Architektur. Diese fragt: wie kann ein bestimmter Zweck Raum werden, in welchen Formen und in welchem Material; alle Momente sind reziprok aufeinander bezogen. Architektonische Phantasie wäre demnach das Vermögen, durch die Zwecke den Raum zu artikulieren, sie Raum werden zu lassen; Formen nach Zwecken zu errichten.«[12] Adorno versucht, in der Sprache des Funktionalismus ein über bloße Funktionszusammenhänge – im geläufigen Sinne des Wortes – Hinausgehendes zu treffen: Ausdruck, Bedeutung, Sprachlichkeit von Gebilden der Architektur – also das, wofür Muthesius oder Le Corbusier die Chiffre »Geist« verwandt hätten – versucht Adorno als ein den Postulaten der Funktionalität und der Materialgerechtigkeit *Immanentes* zu entschlüsseln. Wahrhaft funktional wäre Architektur für Adorno daher vermöge einer Gliederung konkreter Räume, bei der die Menschen ihre Subjektivität als vergegenständlichte wiederzufinden vermöchten, und die zugleich ihre subjektiven Impulse an einer mit Sinn aufgeladenen räumlichen Struktur sich brechen und sich entfalten ließe. Bewohnbare und belebbare Räume also, räumliche Objektivationen kommunikativer Beziehungen und Sinnpotentiale.

In Adornos Interpretation weist der Funktionalismus – so wie praktisch in den Bauwerken Le Corbusiers – immanent über sich selbst hinaus auf jene sprachlich-ästhetische Dimension der Architektur, auf die – im Gegensatz zur bloß formal- oder funktional-ästhetischen – erst die Vertreter der sogenannten postmodernen Architektur mit Emphase wieder aufmerksam gemacht haben.[12a] Unter ihnen hat insbesondere Charles Jencks[13] als die eigentliche Entdeckung der postmodernen Architektur die Wiederentdeckung der Sprache der Architektur gefeiert. Freilich dient die Metapher der »Sprachlichkeit« bei Jencks als Schlüssel für eine Kritik am Funktionalismus und Konstruktivismus. Da die Postmodernen, im Gegensatz zu Adorno, im Funktionalismus vor allem das sehen, was historisch aus ihm geworden ist: den Vulgärfunktionalismus des international style, steht die Wie-

derentdeckung der Sprache der Architektur für sie im Zeichen einer Abkehr vom »Rationalismus« der Moderne.
Unter dem Gesichtspunkt der Sprachlichkeit erscheint in der Tat ein Großteil dessen, was in der Ära der modernen Architektur gebaut worden ist, als äußerst verarmt, bloßes Zeichen der technischen Verfahren selbst. Jencks kritisiert die »Univalenz«, die Eindimensionalität, die Ungeschichtlichkeit und den Rationalismus des Zeichensystems der modernen Architektur; dagegen setzt er die Polyvalenz, die semiotische Komplexität, die Kontextualität und den stilistischen Pluralismus und Eklektizismus der postmodernen Architektur. Die Rehabilitierung des Eklektizismus ist bei Jencks durch eine einfache Überlegung begründet: stilistische Homogenität einer »Bedeutungen« verkörpernden Architektur kann es nur in Gesellschaften mit einem allgemeinverbindlichen »Signifikationssystem« geben, also in traditionalen Gesellschaften. Da es ein solches Signifikationssystem in industriellen Gesellschaften nicht mehr gibt, kann die Architektur heute nur noch ad hoc, im Bewußtsein der historischen Distanz oder in ironischer Brechung aus den semantischen Potentialen der Vergangenheit schöpfen, während ihr andererseits doch dies semantische Potential in seiner vollen Ausbreitung und bis hin zu exotischen und archaischen Ausdrucksformen zur freien Verfügung steht.
Wäre dies alles, so läge im Programm der postmodernen Architektur freilich das Zugeständnis, daß sie es zu einer eigenen Sprache nicht mehr bringen kann: aus der Not der eigenen Sprachlosigkeit würde sie die Tugend eines willkürlichen oder frivolen Spiels mit Sprachformen der Vergangenheit machen. Und dies, so scheint mir, ist in der Tat die eine, die wirklich postmoderne Seite der postmodernen Architektur. Ihre andere, produktive Seite dagegen deutet eher auf eine *immanente* Überschreitung der modernen Architektur hin, im Sinne einer Befreiung von den Simplifikationen und Einschränkungen eines technokratischen Rationalismus. Der für mich interessanteste Aspekt der Überlegungen von Jencks liegt dort, wo er einen Zusammenhang herstellt zwischen der Entfaltung der sprachlichen Dimension der Architektur einerseits, und neuen, partizipatorischen Formen der Stadtplanung andererseits. An dieser Stelle wird nämlich deutlich, was bei Adorno sich nur andeutet, daß die Metapher der »Sprachlichkeit« der Architektur auf die reale

Sprachlichkeit der von der Architektur Betroffenen verweist. Anders als bei der Komposition, deren Modell Adorno vor Augen stand, muß ja in der Architektur die wechselseitige Durchdringung von Materialien, Formen und Zwecken sich mit einer kommunikativen Klärung der Zwecke real verschränken, wenn »Bedeutung« oder »Ausdruck« nicht willkürlich werden sollen: Bauwerke sind keine sich selbst genügenden Kunstwerke. Ich finde Jencks' Überlegungen daher durchaus hilfreich, um den Begriff einer Architektur zu klären, die weder in funktionalen Relationen aufgeht noch in selbstherrlich ästhetische Gesten sich verliert. Es wäre der Begriff einer Architektur, die jenseits bloß technischer, ökonomischer und bürokratischer Rationalität, aber auch jenseits der bloßen Willkür ästhetischer Gesten in Zusammenhänge »kommunikativer Rationalität« – in einem Ausdruck von Habermas[14] – eingebunden wäre. Partizipatorische Formen der Stadtplanung und Stadt-»Reparatur« wären *ein* Aspekt einer solchen Architektur, ein anderer wäre das, was die Holländer »polyvalenten Raum« genannt haben, daß heißt, die Konzeption eines Raumes, der für eine individuelle Variation und Interpretation kollektiver Grundmuster offen ist – also die Konzeption individuell *interpretierbarer* Räume (Hertzberger). Van Eyck hat in diesem Zusammenhang den schönen Ausdruck »labyrinthische Klarheit«[15] geprägt. Der Begriff des Labyrinths steht für all das, was aus der Perspektive einer technokratischen Planung als dysfunktional, unvorhersehbar, ungeplant und überflüssig erscheint; er steht zugleich für die Umwegigkeit, Vieldeutigkeit und Komplexität von Strukturen und Beziehungen, wie sie aus der unreglementierten Erfahrung und Eigentätigkeit einer *Vielzahl* von Subjekten sich herstellen mögen; aus *ihrer* Perspektive aber kann als klar und durchsichtig erscheinen, was für den von technokratischen Idealen besessenen Betrachter als verworren sich darstellt. Wiederum bietet sich eine Parallele zur Sprachphilosophie an: Wittgensteins Kritik am »Vorurteil der Kristallreinheit« in der Sprachphilosophie entspricht der Kritik postmoderner Architekten an den Idealen geometrischer Klarheit und funktionaler Eindeutigkeit; Wittgensteins Forderung, »die Betrachtung (müsse) gedreht werden, aber um unser eigentliches Bedürfnis als Angelpunkt«[16], ist die Forderung, die Strukturen der Alltagssprache vom Standpunkt ihrer *Benutzer* zu betrachten: dann könnte als klar und geordnet erscheinen, was vom Standpunkt einer konstruktiven Semantik als verworren sich darstellt. Der Begriff der »labyrinthischen Klarheit« ließe sich, so verstanden, dem der »kommunikativen Rationalität« zuordnen; gemessen an den Rationalitätsvorstellungen eines technokratischen Bewußtseins verdanken beide sich einer »Drehung« der Betrachtung, als deren Angelpunkt die Bedürfnisse konkreter, geschichtlicher Subjekte anzusehen sind.

Im Begriff der kommunikativen Rationalität ist freilich beides: Kommunikation *und* Rationalität, zusammengedacht. Der Begriff steht nicht nur für die komplexen Strukturen alltagssprachlicher Kommunikation, sondern ebenso für den normativen Kern eines emanzipierten Bewußtsein: er trägt in sich die Idee einer »offenen Gesellschaft« im Sinne der Moderne, das heißt einer post-traditionalen, universalistisch verstandenen Demokratie. Der Begriff der kommunikativen Rationalität bezeichnet daher Bedingungen, unter denen es allgemein verbindliche Signifikationssysteme – im Sinne von Jencks – außer auf der Meta-Ebene der universalistischen Grundwerte *legitimerweise* nicht mehr geben kann; gegen die falsche Uniformität technisch verarmter Zeichensysteme können wir kein System objektiv verbindlicher Bedeutungen mehr aufbieten – es sei denn, um den Preis einer gewaltsamen Einschränkung der Kommunikation-, sondern nur einen aus der Freisetzung kommunikativer Potentiale resultierenden *Pluralismus* von Werten, Bedeutungen und Lebensformen. Zu diesem Pluralismus von Werten und Lebensformen gehört auch die Freigabe eines je verschiedenen Rückgriffs auf Traditionen und auf die semantischen Potentiale der Vergangenheit. Dies hat Jencks wohl im Sinn, wenn er von der Möglichkeit eines – gegenüber dem Eklektizismus des neunzehnten Jahrhunderts – neuartigen, authentischeren Eklektizismus in der Architektur der Postmoderne spricht.[17] Gedacht ist an eine produktive Nutzung der neuen Freiheitsgrade, die das moderne Bewußtsein im Verhältnis zur Tradition sich erworben hat, an die Möglichkeit, aus den versteinerten Schriften der Vergangenheit Funken zu schlagen und ihre Zeichen durch die Einfügung in neue Konfigurationen bis zur Lesbarkeit zu verändern. Wenn man dies Eklektizismus nennen will, so wäre es ein Eklektizismus der *Vergegenwärtigung*, eine auswählende Kraft, Vergangenheitsspuren zum Leben zu erwecken; nicht jedoch der Eklektizismus eines unverbindlichen Spiels mit Stilformen, der, unfähig zur Gegenwart,

vergeblich einen Halt in der Vergangenheit sucht. Auch die Idee eines »authentischen« Eklektizismus bei Jencks ist somit zu verstehen im Zusammenhang mit seiner Forderung, »das ganze System der Architekturproduktion« müsse geändert werden[18], einer Forderung, die auf die Rückeroberung des Gebrauchswerts der Architektur durch die von ihr betroffenen Subjekte abzielt.
Die Zurückweisung eines einseitig technokratisch ausformulierten Modernismus durch die postmoderne Architektur *muß* ersichtlich nicht als Abkehr von der Moderne, von der Tradition der Aufklärung verstanden werden, sie kann auch im Sinne einer immanenten Kritik an einer hinter ihren eigenen Begriff zurückgefallenen Moderne verstanden werden: die Wiederentdeckung der sprachlichen Dimension der Architektur, der Kontextualismus, partizipatorische Planungsmodelle, die Betonung des Stadt-»Gewebes« anstelle des kontextlosen Baudenkmals, selbst Historismus und Eklektizismus, wenn man sie versteht im Sinne einer Wiederentdeckung der geschichtlich-sozialen Dimension der Architektur sowie der kulturellen Tradition als eines Reservoirs semantischer Potentiale – kurz, vieles von dem, was die sogenannte postmoderne Architektur von den technokratisch-utopischen Zügen der klassischen Moderne sich abheben läßt, läßt sich als Fortschritt im architektonischen Bewußtsein und als ein Korrektiv *innerhalb* der modernen Tradition verstehen. Demgegenüber haben Eklektizismus und Historismus aber auch die potentielle Bedeutung einer *Abkehr* von den konstitutiven Zügen der Moderne: von Aufklärung, Universalismus und Rationalität. Insofern partizipiert die postmoderne Architektur an einer Zweideutigkeit, die für viele Strömungen kennzeichnend ist, die heute unter dem Titel der Postmoderne genannt werden: ob es sich nun um alternative soziale Bewegungen handelt oder um »post-moderne« Wissenschafts- und Kulturtheorien – vom erkenntnistheoretischen Anarchismus Paul Feyerabends bis zum französischen Post-Strukturalismus. Es ist die Zweideutigkeit von Bewegungen, von politischen und theoretischen Impulsen, die auf der einen Seite gegenüber einer technokratisch pervertierten Moderne auf die Verteidigung kommunikativer Strukturen, semantischer Potentiale, ökologischer Gleichgewichte oder von Möglichkeiten einer unreglementierten Selbstäußerung der Subjekte ausgerichtet sind, also auf die Verteidigung von Bedingungen, ohne deren Erhaltung die Moderne das ihr eigentümliche Potential an Huma-

nität unter sich begraben müßte; und die auf der anderen Seite häufig genug mit der Abkehr von der technokratischen Moderne den Rückzug aus der Moderne überhaupt proklamieren. Wo letzteres geschieht, wird die Kritik am technokratischen Rationalismus zum Irrationalismus, der Kontextualismus zum Partikularismus, der Kult der Bodenständigkeit zur bloßen Mode oder – schlimmer – zur Regression, und die Wiederentdeckung der symbolischen Funktion der Architektur zur ideologischen oder autoritären Geste. Jencks, soviel scheint mir kaum zweifelhaft, gehört letztlich zu jenen Verfechtern einer postmodernen Architektur und Städteplanung, die in dem hier vertretenen Sinne radikale Moderne sind; der klarste Indikator hierfür ist seine Betonung des Zusammenhangs zwischen städtischer Lebensform und Demokratie. Jencks konstruiert in gewissem Sinne seine »postmoderne« Kritik der modernen Architektur aus dem Blickwinkel einer demokratisch verstandenen Stadtplanung. Insoweit ist seine Kritik an der modernen Architektur – entgegen seinen Intentionen – keine Kritik der Aufklärung, sondern Teil einer »Kritik der instrumentellen Vernunft«.

IV.

Das Beispiel der in Bewegung geratenen Architektur läßt keine direkten Schlüsse zu auf Möglichkeiten einer neuen Vermittlung von Kunst und industrieller Produktion in anderen Bereichen. Individualität und »Sprachlichkeit« sind in besonderer Weise Möglichkeiten von Gebilden der Architektur; die Architektur ist zur bildenden Kunst hin offen. Industrielle Massenprodukte entbehren mit der Individualität auch einer wichtigen Bedingung der Sprachlichkeit: sie können die Zwecke, die sie verkörpern, nicht individualisieren, und dies setzt der Möglichkeit eines aus der Vermittlung von Materialien, Formkonstruktionen und Zwecken resultierenden *Ausdrucks* Grenzen. Zeichen sind die industriellen Produkte häufig nur als Zeichen einer Funktion, wie Octavio Paz sagt; vielleicht auch als Statussymbole, als Symbole des technischen Fortschritts oder als projektive Symbole einer infantilen Bildwelt. Will heißen: industrielle Massenprodukte, wo sie nicht von außen ornamental oder auch symbolisch aufgeladen werden, bringen vermöge ihrer eigenen Komplexion keinen Zusammenhang von *Bedeutungen* zum Ausdruck; sie *verkörpern* einen Zusammenhang von *Funktionen,* aber sie drücken ihn nicht aus.

Freilich müssen industrielle Produkte deswegen nicht ausdrucks*los* sein. Ausdruck ist ein Interferenzphänomen, wie Adorno sagte[19], und von Schönheit kaum zu trennen. Industrielle Produkte können aber durchaus schön sein: dann nämlich, wenn eine vollkommene Konstruktion bei einsichtigen Zwecken auch *sichtbar* wird. Die Unterscheidung zwischen sichtbaren und unsichtbaren Konstruktionen ist in mancher Hinsicht wichtiger als die zwischen Häusern und Maschinen: daß die Eisenkonstruktionen des 19. Jahrhunderts heute oft schön erscheinen, ist nicht nur Nostalgie, nicht nur romantische Verklärung der zu »Ruinen« gewordenen Überbleibseln eines vergangenen Industriezeitalters, sondern auch eine Folge der *Sichtbarkeit* ihrer Konstruktion; auch bei Dampflokomotiven und sogar Fahrrädern hängt das Ausdrucksmoment an der Sichtbarkeit der Konstruktion. Wo die Vollkommenheit der Konstruktion bei einsichtigen Zwecken, und sei es die gelungene Korrespondenz zum gestisch-motorischen Bewegungsraum des Körpers, in Ausdruck resultiert, dort erlangen die Dinge ein Eigengewicht, sind als funktional schöne zugleich mehr als bloße Mittel, ein Stück Zweckmäßigkeit *ohne* Zweck. Freilich ist diese Form der Schönheit im Zeitalter der elektronischen Technologien im Verschwinden begriffen; deren Produkte sind nichtssagend oder monströs, sichtbar nur noch als glatte Oberfläche, die etwas sinnlich Unfaßbares verbirgt, so wie die alltäglichen Dinge die Vorgänge im Atomkern. Heute sind es vor allem diejenigen Gebrauchsgegenstände, die dem menschlichen Körper, den Augen und Händen noch nahe sind – Werkzeuge, Möbel, Lampen – die als gut konstruierte immer noch schön sein können. Aber auch diese Schönheit vollkommener Konstruktionen ist von der »beredten« Schönheit vollkommener Bauwerke verschieden, und zwar um so mehr, je technisch präziser – und das heißt: allgemeiner – die Funktionen der Gegenstände sich beschreiben lassen. Insofern hätte Loos immer noch recht.

Die Lehren, die sich aus dem Beispiel der Architektur ziehen lassen, liegen auf einer anderen Ebene. Sie betreffen die Zweck*zusammenhänge* und *Lebensformen*, die in Produkten der Industrie sich verkörpern. Die Produkte der Industrie treten ja zu Konfigurationen, zu Funktionsnetzen zusammen, die Lebens- und Arbeitsabläufe *determinieren*, soziale Hierarchien oder Kommunikationsformen *reproduzieren* oder gesellschaftliche Prioritäten *verkörpern*. Diese Konfigurationen sind mit Gebilden der Architektur darin vergleichbar, daß sie Lebensäußerungen einengen oder erweitern, die Sensibilität abstumpfen oder stimulieren, die Selbsttätigkeit blockieren oder provozieren können; sie bilden die Grenzlinien, Öffnungen, Durchlässe, Utensilien oder auch Gefängnismauern der menschlichen Lebenswelt im Großen. Anknüpfend an Ivan Illichs Begriff der »tools for conviviality« könnte man eine an menschlichen Bedürfnissen, menschlicher Selbsttätigkeit und kommunikativer Rationalität orientierte Technologie unterscheiden von einer auf Kapitalverwertung, bürokratische Kontrolle oder politische Manipulation hin angelegten Technologie. *Diese* Unterscheidung, und nicht die zwischen Industriekitsch und funktionalem Design, bezeichnet heute die Grenzlinie zwischen ästhetisch-moralischer Kultur auf der einen Seite und Barbarei auf der anderen.

Gegenüber dem Beginn des 20. Jahrhunderts, als der Werkbund gegründet wurde, deutet sich hier eine tiefgreifende Problemverschiebung, wenn nicht objektiver Art, so doch im gesellschaftlichen Bewußtsein an; sie findet ihren Ausdruck im Zurücktreten der, wie ich es nennen möchte, »produktionsästhetischen« Probleme gegenüber solchen der »Gebrauchsästhetik«. Hinter den funktionalistischen und konstruktivistischen Impulsen des modernen Design und der modernen Architektur stand ja gewissermaßen die Überzeugung, man müsse bei *vorgegebenen* Zwecken technisch einwandfreie, materialgerechte und ästhetisch verbindliche Problemlösungen finden: dies ist das Problem der zeitgemäßen Form. Auch wenn man diese Problemstellung im Adornoschen Sinne einer wechselseitigen Durchdringung von Materialien, Zwecken und Formkonstruktionen versteht, bleibt doch – und Adorno wäre der Letzte gewesen, dies zu bestreiten – die Frage nach einer angemessenen Klärung der Zwecke selbst zurück. Im Vermittlungszusammenhang von Materialien, Formen und Zwecken können die Zwecke zwar konkretisiert und materialisiert, aber nicht eigentlich geklärt werden; andererseits ist der Zusammenhang zwischen der Schönheit und Zweckmäßigkeit von Gebrauchsdingen nur dort ein realer und nachvollziehbarer, wo die Zwecke selbst einsichtig und solche der betroffenen

Subjekte sind. Wo daher die Klärung der Zwecke und der sie tragenden Zweckzusammenhänge unterbleibt, kann eine Welt von Gebrauchsdingen selbst im funktionalistischen Sinne des Wortes nicht »schön« sein. Ich glaube, dies ist einer der Gründe, warum so vieles in der modernen Architektur, selbst wo es nach immanenten Kriterien gelungen erscheint, der sterilen Schönheit eines »dekorativen Formalismus« (A. Schwab)[20] sich annähert, zum »Lichtkitsch«[21] wird, wie Bloch es nannte, oder zum »polierten Tod«, der »wie Morgenglanz verabreicht«[22] wird. »Zwischen Plüsch und Stahlsessel«, sagt Bloch, »zwischen Postämtern in Renaissance und Eierkisten (greift) kein Drittes mehr in die Phantasie«.[23] Dies Dritte aber könnte nur aus einer Veränderung des »Lebenszuschnitts« kommen, also aus einer Klärung und Veränderung der Zweckzusammenhänge, *aus denen heraus* und *für die* produziert wird. Von »Gebrauchsästhetik« möchte ich dort sprechen, wo es um die ästhetische Qualität der Lebenswelt in Abhängigkeit von der Einsichtigkeit der Zweckzusammenhänge geht, die in Gebrauchsdingen verkörpert sind. Meine These ist, daß die Probleme der »zeitgemäßen Form« heute vor allem solche der Gebrauchsästhetik sind, für deren Bearbeitung das Modell eines Zusammenspiels von Kunst und Industrie sicherlich keine zureichende Idee mehr liefert.

In der Vorstellung, die Eigendynamik des industriellen Fortschritts ließe sich mit den schwachen Kräften einer ästhetischen Aufklärung humanisieren und domestizieren, hat wohl immer schon ein Stück Naivität gelegen, selbst wenn man die material- und produktionsästhetische Aufklärung eines breiten Publikums als Desiderat mit einschloß. Aber erst seit etwa Mitte der sechziger Jahre ist allgemeiner ins Bewußtsein gedrungen, daß in der Welt der industriell gefertigten Produkte Zweckzusammenhänge sich niedergeschlagen haben, in ihnen sich verkörperlicht und verselbständigt haben, die oft kaum noch in einen einsichtigen Zusammenhang gebracht werden können mit dem, was die in dieser Welt lebenden Subjekte als den Zweckzusammenhang *ihres* Lebens anerkennen könnten. Überall dort, wo Fragen der Gestaltung von Gebrauchsdingen heute von mehr als nur privatem oder ephemerem Interesse sind, wo es sich nicht nur um Fragen eines neuen »Stils« oder einer neuen Mode handelt, ist es die Frage nach den Zwecken und Zweckzusammenhängen selbst, die ins öffentliche Bewußtsein tritt. Dies gilt für Fragen der Stadtplanung, Stadterneuerung und Stadterhaltung ebenso wie für Fragen der Abwasserregulierung, des Landschaftschutzes, des Krankenhaus-, Straßen- oder Kernkraftbaus oder schließlich Fragen einer alternativen Technologie. In allen diesen Problembereichen haben Fragen des Designs neben einer technisch-ästhetischen eine unübersehbare soziale, politische oder ökologische Komponente bekommen. In der alten Werkbund-Formel von der Aufspaltung des traditionellen Handwerkers in die Funktionen des Technikers, des Kaufmanns und des Künstlers fehlen nicht nur der Arbeiter und der Kapitalist, es fehlt auch die *soziale* Komponente des Designs (Burckhardt)[24], nämlich die Rolle des Handwerkers als Repräsentant einer kollektiven Lebensform, die er in seinen Produkten artikulierte. Wo aber die kollektiven Lebensformen in Fluß geraten, problematisiert, in ihrer Substanz bedroht und auf demokratische Klärungsprozesse angewiesen sind, dort wird *sichtbar*, daß die Frage nach den Zweck- und Funktionszusammenhängen bis in die ästhetischen Probleme des Designs hineinreicht.

Dies bedeutet nicht zuletzt eine neue Herausforderung für die ästhetische Phantasie. Zwecke sind ja, in Adornos Worten, wie Materialien und Formen keine »Urphänomene«; will heißen: wo es sich, wie zum Beispiel in der Architektur, nicht einfach um technisch präzis umschreibbare Zwecke handelt, ist die Artikulation der Zwecke selbst auch wieder angewiesen auf die aus den Materialien und Formkonstruktionen zuwachsenden Möglichkeiten, Konkretisierungen und Versprachlichungen. In der traditionellen Beziehung zwischen Architekt und Bauherr ist es ja der erstere, der den Zwecken erst präzise Gestalt und Artikulation verschafft. Entsprechend könnte heute die konstruktive und ästhetische Phantasie der gestaltenden Künstler in den Prozeß der kommunikativen Klärung von Zwecken experimentell und artikulierend eingreifen, wie es aus Beispielen im Städtebau schon belegt ist. Ohne diesen Beitrag der ästhetischen Phantasie zur *Klärung* der Zwecke – und nicht nur zu ihrer *Realisierung* – dürften die Beziehungen zwischen den Menschen eine entscheidende Dimension ihrer Sprachlichkeit einbüßen, ihre Zwecke selbst sprach*los* werden.

Die doppelte Überschreitung des Kults der Nützlichkeit und der Religion der Kunst, die Octavio Paz der handwerklichen Produktion attestierte, läßt sich im Kernbereich der industriellen Produktion nicht durch eine direkte Wiederannäherung von Kunst und Industrie verwirklichen, wie sie den Gründern des Werkbundes vorschwebte. Wohl aber wäre denkbar, daß die industrielle Produktion an kommunikativ geklärte Zwecksetzungen *zurückgebunden* würde und daß Kunst und ästhetische Phantasie sich in die kommunikative Klärung gemeinsamer Zwecke *verstricken* ließen. Dann könnten vielleicht Kunst und Industrie durch Vermittlung eines Dritten, nämlich im Medium einer aufgeklärten demokratischen Praxis, zu Momenten einer industriellen Kultur zusammentreten.

Anmerkungen

1 Octavio Paz, »Schönheit und Nützlichkeit«, in: ders.,: *Essays 2*, Suhrkamp Verlag, Frankfurt 1980, S. 383.
2 A.a.O., S. 384.
3 A.a.O., S. 389 und 391.
4 Zur Geschichte des Deutschen Werkbundes vgl. neuerdings Joan Campell, *Der Deutsche Werkbund: 1907-1934*, Klett-Cotta, Stuttgart 1981; Kurt Junghans, *Der Deutsche Werkbund. Sein erstes Jahrzehnt*. Henschel Verlag Kunst und Gesellschaft, Berlin/DDR 1982; Lucius Burckhardt, *Der Werkbund in Deutschland, Österreich und der Schweiz*. Deutsche Verlagsanstalt, Stuttgart 1978. Eine schöne Sammlung von Dokumenten der Werkbund-Geschichte ist das Buch zur Ausstellung des Werkbundes im Staatlichen Museum für angewandte Kunst in München 1975: Wend Fischer (Hrsg.), *Zwischen Kunst und Industrie. Der Deutsche Werkbund*. Die Neue Sammlung, München 1975.
5 Ich sehe hier von den chauvinistischen Untertönen ab, an denen es in der Anfangsphase des Deutschen Werkbundes nicht gefehlt hat. Vgl. die o.a. Literatur.
6 Adolf Loos, »Kulturentartung«, in: *Sämtliche Schriften 1*, Verlag Herold, Wien/München 1962, S. 274.
7 Julius Posener, »Le Corbusier«, in: *Aufsätze und Vorträge 1931-1980*. Verlag Friedr. Vieweg & Sohn, Braunschweig/Wiesbaden 1981, S. 188.
8 W. J. Siedler, E. Niggemeyer, G. Angreß, *Die gemordete Stadt*. Herbig, Berlin/München/Wien 1964, S. 13.
9 Jane Jacobs, *The Death and Life of Great American Cities*. Random House, New York 1961, Kap. 22.
10 Theodor W. Adorno, »Funktionalismus heute«, in: *Gesammelte Schriften 10.1*, Suhrkamp Verlag, Frankfurt 1977, S. 389.

11 A.a.O., S. 387.
12 A.a.O., S. 388.
12a Vgl. zum folgenden Jürgen Habermas' Rede über »Moderne und postmoderne Architektur«, (in: *Die andere Tradition*. Katalog zur Ausstellung Nr. 3 in der Reihe »Erkundungen«, Callwey Verlag, München 1981), die ich erst nach Fertigstellung des hier vorliegenden Textes zu Gesicht bekommen habe. Die Berührungspunkte sind offensichtlich und nicht zufällig.
13 Charles Jencks, *Die Sprache der postmodernen Architektur*. Deutsche Verlagsanstalt, Stuttgart 1978.
14 Jürgen Habermas, *Theorie des kommunikativen Handelns*. Bd. 1 und 2, Suhrkamp Verlag, Frankfurt 1981.
15 Vgl. K. Frampton, *Modern architecture*, Oxford University Press, New York 1980, S. 293 (dt. *Die Architektur der Moderne*, Deutsche Verlagsanstalt, Stuttgart 1983).
16 Ludwig Wittgenstein, *Schriften*, Bd. 1, Suhrkamp Verlag, Frankfurt 1963, S. 342.
17 Jencks a.a.O., S. 128.
18 A.a.O., S. 14.
19 Theodor W. Adorno, *Ästhetische Theorie. Gesammelte Schriften* Bd. 7, Suhrkamp Verlag, Frankfurt 1970, S. 174.
20 Alexander Schwab, »Zur Abteilung Städtebau und Landesplanung«, in: *Die Form*, Heft 3, 1930, zitiert nach F. Schwarz/F. Gloor, *»Die Form«. Stimme des Deutschen Werkbundes 1925-1934*. Bertelsmann Verlag, Gütersloh 1969, S. 157.
21 Ernst Bloch, *Das Prinzip Hoffnung*. Suhrkamp Verlag, Frankfurt 1959, S. 860.
22 A.a.O., S. 862.
23 A.a.O., S. 860. Vgl. auch A. M. Vogt, »Entwurf zu einer Architekturgeschichte 1940-1980«, in: Vogt/Jehle/Reichlin, *Architektur 1940-1980*. Propyläen Verlag, Berlin 1980, S. 12.
24 Lucius Burckhardt, »Design ist unsichtbar«, in: *Design ist unsichtbar*. Löcker Verlag, Wien 1981.

Adorno, Anwalt des Nicht-Identischen

Eine Einführung*

Sie erwarten von mir eine Einführung in die Philosophie Theodor W. Adornos. Einer solchen Einführung stellen sich fast unüberwindliche Schwierigkeiten entgegen. Adorno selbst hat immer wieder betont, daß Philosophie, wenn sie diesen Namen verdient, sich nicht auf Thesen bringen und daß sie sich wesentlich nicht referieren läßt. Was Adorno meint, kann jeder von Ihnen ohne Mühe verifizieren: Schlagen Sie irgendeine Geschichte der Philosophie auf oder auch irgendein Lexikon der Philosophie; wenn Sie auch nur einigermaßen selbstkritisch sind, werden Sie feststellen, daß Sie nach der Lektüre einer referierenden Darstellung eines Philosophen oder auch einer philosophischen These ebenso klug sind wie zuvor. Das liegt daran, daß die Resulate oder Thesen in der Philosophie – also das, was sich referieren läßt – nur ebensoviel wert sind wie die Bewegung des Gedankens, die sich in ihnen kristallisiert hat; diese Bewegung des Gedankens aber läßt sich nicht – im gewöhnlichen Sinne des Wortes – mitteilen und als Information nach Hause tragen, sie läßt sich vielmehr nur aneignen, indem man sie nachvollzieht. Entsprechend anspruchsvoll müßte das Wort »Einführung« verstanden werden, wenn es sich um eine *philosophische* Einführung handelt: nicht als Einführung im Sinne einer Vermittlung elementarer Kenntnisse (denn diese wären philosophisch wertlos), sondern als Einführung in das *Denken* eines philosophischen Autors. Eine solche Einführung ist aber, im Gegensatz zu der elementare Kenntnisse vermittelnden Einführung, eine der schwierigsten Aufgaben, die man einem Philosophen stellen kann. Im Falle Adornos verdoppelt sich diese Schwierigkeit, weil Adorno aus seiner Einsicht, daß Philosophie sich nicht referieren läßt, radikale Konsequenzen gezogen hat, auch was die Form seines eigenen Philosophierens betrifft. Adorno war, hierin nicht unähnlich seinen Zeitgenossen Heidegger und Wittgenstein, der Meinung, daß die große Philosophie der europäischen Tradition

* Vortrag gehalten im Rahmen der Reihe »Klassiker der Moderne« an der Universität Konstanz im Sommersemester 1984.

über weite Strecken sich an einem falschen Ideal orientiert hat: dem Ideal eines systematischen, methodisch gesicherten und auf festen Fundamenten aufbauenden Wissens. Zwar gilt die These von der Nicht-Referierbarkeit der Philosophie auch für die große Philosophie der Vergangenheit; aber diese hat sich doch immer wieder – bis hin zu Husserl, dem logischen Positivismus und dem Konstruktivismus der Erlanger Schule – am Ideal eines methodisch gesicherten Erkenntnisfortschritts orientiert. In dieser Orientierung steckt, so könnte man sagen, der heimliche oder offene Wunsch der Philosophen, die Philosophie endlich aus dem unverbindlichen Meinungsstreit der Schulen herauszuführen und in den Rang einer echten Wissenschaft zu erheben. Wäre eine solche philosophische Wissenschaft möglich, dann gäbe es auch ein gesichertes und referierbares philosophisches Wissen; es gäbe Lehrbücher der Philosophie wie es solche der Physik oder Biologie gibt und man würde allenfalls noch aus historischem Interesse die Schriften von Plato, Kant oder Adorno lesen; so wie die Wissenschaftshistoriker, aber nicht die Physiker, heute die Schriften von Newton lesen. Adorno war nicht der erste, der erkannte, daß eine philosophische Wissenschaft in diesem Sinne nicht möglich ist; oder daß sie, wenn sie ernsthaft realisiert würde, das Ende der Philosophie bedeuten würde. Nicht diese Einsicht ist es, die das Unverwechselbare von Adornos Philosophie ausmacht, sondern die Art, wie er sie formulierte, begründete und aus ihr Konsequenzen zog. Diese Konsequenzen betreffen, wie ich schon sagte, nicht zuletzt die Form seines Philosophierens. Adornos Texte sind außerordentlich dicht, aber in einem anderen Sinne als etwa diejenigen Kants, Heideggers oder Wittgensteins. Kants philosophische Haupt-Texte sind gewiß schwer verständlich und oft dunkel; sie haben aber eine klare Architektonik: wenn man den Konstruktionsplan kennt, weiß man gewissermaßen jeweils wo man ist und wie die Teile des Gebäudes zueinander liegen. Heidegger, jedenfalls der späte Heidegger, ist schwer verständlich, weil er die Worte der alltäglichen Sprache bis zur Unkenntlichkeit philosophisch verfremdet; dadurch sind die vertrauten Regeln von Syntax und Semantik außer Kraft gesetzt, die uns sonst – auch in philosophischen Texten – von einem Satz zum anderen leiten. Die Texte des späten Wittgenstein schließlich sind dicht in einer ganz unauffälligen Weise: man muß sie schon gründlich gelesen haben, um überhaupt zu bemerken, daß hinter den scheinbar lockeren Bemerkungen eine äußerste gedankliche Energie sich verbirgt. Demgegenüber sind Adornos Texte dicht wie komplexe und in jeder Nuance durchgehörte Musikstücke – »mit den Ohren denken« war ein Wahlspruch Adornos –; es sind konzentriert komponierte Texte, denen die Idee zugrundeliegt, daß Gedanken nur so viel wert sind wie die sprachliche Form, in der sie sich äußern. Dieser Idee liegt ein tiefes Mißtrauen Adornos gegen die alltäglichen wie gegen die wissenschaftlichen Formen sprachlicher Kommunikation zugrunde. Dieses Mißtrauen, oder vielmehr die Sprachkritik, als die er es formuliert hat, ist in gewissem Sinne der Kern von Adornos Philosophie. Aus diesem Grunde war mein Hinweis auf die Schwierigkeiten eines Adorno-Referats keine bloße Koketterie: sie führt uns vielmehr direkt ins Zentrum seiner Philosophie: die Kritik des »identifizierenden Denkens«, der »signifikativen Sprache«, des allgemeinen Begriffs. Sie mögen sagen: Es ist doch paradox, wenn ein Philosoph dem Denken in allgemeinen Begriffen mißtraut, denn wie anders als mit Hilfe von allgemeinen Begriffen sollten wir philosophieren? Später werden Sie sehen, daß dieser naheliegende Einwand in Wirklichkeit das zentrale philosophische Problem bezeichnet, an dem Adornos Denken sich abgearbeitet hat. Entsprechend hat Adorno in der *Negativen Dialektik*, seinem philosophischen Hauptwerk, für die Philosophie postuliert: »An ihr ist die Anstrengung, über den Begriff durch den Begriff hinauszugelangen.«[1] Und nun werden Sie vielleicht die Schwierigkeit besser verstehen, von der ich oben gesprochen habe: denn wie sollte ein einführendes Referat in verständlichen Worten einer Philosophie gerecht werden, die etwas zu sagen versucht, das sich der begrifflichen Darstellung entzieht?

Ich lasse diese Frage offen, indem ich der Schwierigkeit zunächst ausweiche. Und zwar werde ich mich dem Zentrum von Adornos Philosophie, der Kritik des identifizierenden Denkens, auf Umwegen zu nähern versuchen. Als der produktivste Umweg erscheint mir ein Durchgang durch die *Dialektik der Aufklärung*, dem Buch, das Adorno zusammen mit seinem Freund Max Horkheimer in den Kriegsjahren 1942-1944 im amerikanischen Exil schrieb. Dieses Buch enthält eine Art Geschichte – oder vielleicht sollte man sagen: eine Metageschichte – des Denkens; es erzählt die Geschichte vom Glanz und Elend der Aufklärung. Das Buch ist das Gründungsdokument der späteren, sogenannten

Frankfurter Schule der Kritischen Theorie, deren wichtigste Vertreter in Deutschland Horkheimer und Adorno nach ihrer Rückkehr aus dem amerikanischen Exil wurden. Für ein Verständnis dieses Buches und der Geschichte, die es erzählt, ist ein Verständnis der geschichtlichen Situation wichtig, in der es entstand. Adorno und Horkheimer gehörten, neben Leo Löwenthal, Herbert Marcuse, Erich Fromm und anderen, zu einem Kreis jüdischer Intellektueller um das Frankfurter Institut für Sozialforschung, die von den Nazis aus Deutschland vertrieben wurden. Horkheimer war 1930 Direktor des Instituts geworden; ihm gelang es auch, das Institut vor dem Zugriff der Nazis zu retten und in New York neu aufzubauen. In den frühen dreißiger Jahren, der Blütezeit des Instituts in Frankfurt, war das Programm des Instituts die Entwicklung einer marxistisch orientierten, interdisziplinären Gesellschaftstheorie. Horkheimer und seine Freunde waren keine orthodoxen Marxisten, aber sie orientierten sich an Marx' Kritik der politischen Ökonomie, und sie hofften auf eine proletarische Revolution – auch wenn sie über die bolschewistische Revolution kaum noch Illusionen hatten. Der Zusammenbruch der deutschen Arbeiterbewegung und die Erfahrungen des faschistischen und stalinistischen Terrors nötigten sie zu Versuchen einer theoretischen Neurorientierung, deren wichtigstes Dokument die *Dialektik der Aufklärung* geworden ist. Faschismus und Stalinismus als Erben der bürgerlichen Aufklärung waren in marxistischen Kategorien nicht mehr zu fassen; um das Umschlagen der bürgerlichen und sozialistischen Aufklärung in nackten Terror zu verstehen, mußte an der geschichtlichen Bewegung der Aufklärung selbst ein verborgenes Moment des Terrors benannt werden, in dem die Möglichkeit eines solchen Umschlags sich ankündigte. Während die theoretische Orientierung des Frankfurter Instituts noch als direkte Fortsetzung einer Tradition verstanden werden kann, die von Hegel und Marx zu den Anfängen des »westlichen« Marxismus beim frühen Lukács führt, stellt die *Dialektik der Aufklärung* den Versuch dar, die anti-aufklärerische Zivilisationskritik der Konservativen, die von den Marxisten bislang nur als Ausdruck bürgerlicher Dekadenz verachtet worden war und die gerade in der Zeit der Weimarer Republik reiche Sumpfblüten hervorgetrieben hatte, in eine marxistisch orientierte Aufklärungstheorie zu integrieren. Man könnte die Sache auch so darstellen, daß Adorno und

Horkheimer versuchten, eine Tradition der Aufklärungskritik, die durchaus respektable Wurzeln beim frühen Hegel und in der deutschen Romantik bis hin zu Nietzsche hat und die auch beim frühen Marx noch nachwirkt, wieder, wie schon der junge Hegel es versuchte, in den Dienst einer kritischen Gesellschaftstheorie, also in den Dienst einer radikalisierten Aufklärung, zu stellen. In diesem Zusammenhang nun ist, wie ich glaube, der philosophische Hintergrund und die intellektuelle Biographie Adornos von entscheidender Bedeutung gewesen: die *Dialektik der Aufklärung* bedeutet zwar in mancher Hinsicht einen Bruch mit den theoretischen Orientierungen des Frankfurter Instituts für Sozialforschung, aber eigentlich keinen Bruch mit den philosophischen Ansätzen des frühen Adorno. Was Adorno betrifft, so ist vielmehr die Kontinuität seines Denkens von den frühen Frankfurter Arbeiten zur Philosophie und Musiksoziologie bis hin zu seinen Spätwerken, der *Negativen Dialektik* und der *Ästhetischen Theorie* erstaunlich. Zur Zeit seiner Frankfurter Antrittsvorlesung von 1931 über »die Aktualität der Philosophie«, das heißt mit 28 Jahren, erscheint Adorno bereits als »fertiger« Philosoph in dem Sinne, daß alle entscheidenden Motive seines Denkens, gleichsam dessen Grundkonstellationen, sich schon herausgebildet haben. Seine spätere und erstaunlich reiche Produktion ist die Entfaltung dieser Grundkonstellationen. Dieser außergewöhnliche Fall von philosophischer Frühreife ist um so bemerkenswerter, als Adorno neben seiner philosophischen zugleich eine musikalische Ausbildung absolvierte; nach seiner Frankfurter Promotion studierte er mehrere Jahre Komposition bei Alban Berg in Wien und war zugleich Mitarbeiter, später Redakteur der Zeitschrift »Anbruch«. Musikphilosophie und Musiksoziologie blieben zentrale Arbeitsgebiete Adornos bis zum Ende seines Lebens; eine ernstzunehmende Musikphilosophie, insbesondere eine ernstzunehmende Philosophie der modernen Musik, gibt es überhaupt erst seit Adorno. Hätte er nichts geschrieben als die *Philosophie der Neuen Musik* und seine kleineren musikphilosophischen und musiksoziologischen Schriften, wäre sein philosophischer Rang immer noch außerordentlich. Vielleicht sollte man mit Habermas sagen: sein Rang als »philosophierender Intellektueller«, denn ein solcher war Adorno in bewußtem Gegensatz zur akademischen Philosophie, von der er einmal böse gesagt hat, der Wahlspruch ihrer »ordinierten« Vertreter sei »Sum, ergo

cogito«. Die Bemerkung stammt aus den *Minima Moralia*, einer ebenfalls während des amerikanischen Exils geschriebenen Sammlung von Aphorismen, die unter Adornos Werken seiner Idee von Philosophie vielleicht am nächsten kommt. Diese »Reflexionen aus dem beschädigten Leben«, wie der Untertitel der *Minima Moralia* lautet, enthalten wie in Spiegelschrift Adornos Lehre vom richtigen Leben; zugleich erscheint in ihnen die Idee eines philosophischen Hauptwerks ironisch in ihr Gegenteil verkehrt: die *Minima Moralia* sind Adornos Anti-Summa.
Aber zurück zur *Dialektik der Aufklärung*. Deren erster Satz lautet: »Seit je hat Aufklärung im umfassendsten Sinn fortschreitenden Denkens das Ziel verfolgt, von den Menschen die Furcht zu nehmen und sie als Herren einzusetzen. Aber die vollends aufgeklärte Erde strahlt im Zeichen triumphalen Unheils.«[2] Die *Dialektik der Aufklärung* ist der Versuch, dies Mißverhältnis zwischen Zielen und Folgen der Aufklärung zu begreifen. Für die marxistischen Intellektuellen Adorno und Horkheimer mußte dies gleichbedeutend sein mit dem Versuch, das von Marx und Engels entworfene Schema der Zivilisationsgeschichte so zu variieren, daß verständlich wurde, warum die bürgerliche Gesellschaft nicht die klassenlose Gesellschaft, sondern eine zivilisierte Form der Barbarei aus sich entließ. Schon Marx und Engels hatten in dem Übergang von der archaischen Urgesellschaft zum Klassenstaat – zur staatlich organisierten Gesellschaft – nicht nur den Beginn der Zivilisation, sondern zugleich eine Katastrophe gesehen, nämlich den Beginn der organisierten Ausbeutung des Menschen durch den Menschen. Schon bei Marx und Engels erscheint der Prozeß der Zivilisation als dialektisch in dem Sinne, daß er als Prozeß der Selbstkonstitution der Menschengattung, als Prozeß der Vergegenständlichung und Ausbildung der menschlichen »Wesenskräfte«, zugleich ein Prozeß der zunehmenden Degradation der Menschen, der zunehmenden Beherrschung und Ausbeutung von Menschen durch Menschen ist. Aber Marx und Engels hatten in der durch den modernen Kapitalismus hervorgebrachten geschichtlichen Konstellation zugleich das Potential einer heraufkommenden emanzipierten, herrschaftsfreien Gesellschaft gesehen. Demgegenüber versuchen Adorno und Horkheimer zu zeigen, daß es aus der geschichtlichen Dialektik von Fortschritt und Repression deshalb keinen »natürlichen« Ausweg gibt, weil der Schauplatz dieser Dialektik

die menschliche Subjektivität selbst ist; im Subjektwerden der Menschen ist auf eine dialektisch verhexte Weise schon die Abschaffung des Menschen angelegt. Deshalb gibt es in dem geschichtlichen Moment, in dem der Stand der Produktivkräfte Freiheit und Überfluß für alle möglich machen würde, die emanzipierten Subjekte nicht, die sich den gesellschaftlichen Reichtum aneignen könnten.

Die Dialektik der Aufklärung ist für Adorno und Horkheimer die Dialektik der Vernunftgeschichte. Die Geschichte der Vernunft aber ist dialektisch, weil die Vernunft seit ihren Anfängen in der Urgeschichte der Zivilisation mit Herrschaft und dem Willen zur Selbsterhaltung infiziert ist. Diese Einheit von Vernunft und Herrschaft erläutern Adorno und Horkheimer, indem sie zugleich Marx mit den Augen von Kant und Nietzsche, d. h. erkenntniskritisch, und Kant mit den Augen von Marx und Freud, d. h. materialistisch zu lesen versuchen. Die erkenntniskritische Marx-Lektüre Adornos und Horkheimers läßt sich am besten anhand ihrer Analyse der Rationalitätsform moderner Industriegesellschaften verdeutlichen. Diese ist, wie schon bei Max Weber und beim frühen Lukács, durch ein Zusammentreten von *formaler* und *instrumenteller* Rationalität charakterisiert. Formale Rationalität äußert sich als Impuls zur Herstellung systematisch vereinheitlichter und widerspruchsfreier Wissens-, Erklärungs- und Handlungszusammenhänge. Die einheits- und konsistenzstiftende Kraft der Vernunft, die im Begriff der formalen Rationalität gemeint ist, entspringt für Adorno und Horkheimer aus Grundbedingungen des begrifflichen Denkens: sofern nämlich das Denken, der Gebrauch der Sprache, an das Gesetz des Nicht-Widerspruchs gebunden ist – gleichsam als den Kern von Rationalität, der in allen Kulturen als Formen symbolisch vermittelter Interaktion wirksam sein muß – ist die Nötigung zur Konsistenz und zur Herstellung systematischer Ordnung im Wissen und Handeln in die durch Sprache vermittelten Erkenntnisleistungen und Handlungsweisen der Menschen von allem Anfang an eingebaut. Die Vernunft, an das Gesetz des Nicht-Widerspruchs gekettet, ist gleichsam immer schon auf dem Weg zur formalen Rationalisierung und zur Systematisierung des Wissens und Handelns. »Denken im Sinne der Aufklärung ist Herstellung einheitlicher, wissenschaftlicher Ordnung und die Ableitung von Tatsachenerkenntnissen aus Prinzipien, mögen diese als

willkürlich gesetzte Axiome, eingeborene Ideen oder höchste Abstraktionen gedeutet werden ... Die logischen Gesetze stellen die allgemeinsten Beziehungen innerhalb der Ordnung her, sie definieren sie. Die Einheit liegt in der Einstimmigkeit. Der Satz vom Widerspruch ist das System in nuce ... Nichts wird von der Vernunft beigetragen als die Idee systematischer Einheit, die formalen Elemente festen begrifflichen Zusammenhangs.«[3] Die eigentlich schwierige These von Adorno und Horkheimer ist nun, daß formale Rationalität letztlich mit instrumenteller Rationalität gleichbedeutend ist, das heißt einer »verdinglichenden« Rationalität, die auf die Kontrolle und Manipulation natürlicher und sozialer Prozesse abzielt. Schon Lukács hatte, im Anschluß an die Analysen von Max Weber, die Rationalitätsform der kapitalistischen Gesellschaft durch ein Zusammentreten von formaler und instrumenteller Rationalität charakterisiert; aber er erklärte dies Zusammentreten von formaler und instrumenteller Rationalität aus der Struktur des Warentausches, das heißt als Manifestation des Warenfetisch. Adorno und Horkheimer versuchen, die Analyse tiefer anzusetzen. Zwar sehen auch sie in der Tauschrationalität der kapitalistischen Gesellschaft das dynamische Zentrum der modernen Rationalisierungsprozesse in der Verwaltung, im Recht und in der Ökonomie; aber diese Übereinstimmung mit Lukács ist eher täuschend: für Adorno und Horkheimer ist die Tauschrationalität der kapitalistischen Gesellschaft selbst nur der Extremfall jener Einheit von formaler und instrumenteller Rationalität, die sie bis in die Urgeschichte der Vernunft, des begrifflichen Denkens zurückverfolgen möchten.
Ich möchte die zentrale These Adornos und Horkheimers, die These von der Einheit von formaler und instrumenteller Rationalität im begrifflichen Denken zunächst indirekt erläutern. Ich knüpfe an an einen Satz, in dem Adorno und Horkheimer mit einer überraschenden Wendung Kants Kritik der reinen Vernunft in die Geschichte der Instrumentalisierung der Vernunft einordnen. Der Satz lautet: »Naturbeherrschung zieht den Kreis, in den Kritik der reinen Vernunft das Denken bannte.«[4] Die Pointe dieses Satzes möchte ich in zwei Schritten erläutern. 1. Schritt: In der KdrV macht Kant die naturwissenschaftliche Form der Erkenntnis zum Maß dessen, was Erkenntnis heißen darf: die Wirklichkeit als Inbegriff möglicher Gegenstände der Erfahrung, wie sie nach Kant durch die Anschauungsformen Raum und Zeit

und die Verstandeskategorien (insbesondere Substantialität und Kausalität) »konstituiert« ist, ist eine Wirklichkeit gesetzmäßig-kausal miteinander verknüpfter Phänomene, und das heißt Wirklichkeit als Gegenstand einer möglichen naturwissenschaftlichen Erkenntnis. Was das bedeutet, hat der amerikanische Philosoph Wilfrid Sellars noch einmal im Bezugssystem der modernen analytischen Wissenschaftstheorie formuliert, wenn er sagt: »... in the dimension of describing and explaining the world, science is the measure of all things, of what is that it is, and of what is not that it is not.«[5] Also etwa: »Was die Feststellung und Erklärung empirischer Tatsachen betrifft, so ist die Wissenschaft (d. h. die Naturwissenschaft) das Maß aller Dinge: dessen was ist, daß es ist, und dessen was nicht ist, daß es nicht ist.« Was sich den Maßstäben naturwissenschaftlicher Beschreibung und Erklärung nicht fügt, kann nicht »wirklich« genannt werden. Es ist leicht zu sehen, wie eng diese Form des »Szientismus« mit Aufklärung als Entzauberung der Welt auf der einen Seite, und mit der Durchsetzung empiristischer, positivistischer oder behavioristischer Denkweisen in Sozialwissenschaften und Psychologie zusammenhängt. Auch Descartes ist in seiner Weise ein Vertreter dieses Szientismus: was an der menschlichen und sozialen Wirklichkeit in naturwissenschaftlichen Begriffen nicht aufgeht, schrumpft bei ihm – wie auch bei Kant – auf den weltlosen Punkt des »Ich denke« zusammen; einen »Geist in der Maschine«, wie der englische Sprachphilosoph Gilbert Ryle es genannt hat, der von den konsequenteren Empiristen dann als entbehrliche Fiktion aus dem wissenschaftlichen Bild des Menschen eliminiert wurde. Wenn man nun, wie Horkheimer und Adorno das mit guten Gründen tun, die Durchsetzung naturwissenschaftlicher Denkweisen versteht im Zusammenhang mit der Veränderung gesellschaftlicher Beziehungen und Strukturen in der Moderne, so wird deutlich, daß die Entwicklung der modernen Philosophie von Descartes bis Sellars eine geschichtliche Veränderung *sozialer* Beziehungen in der Moderne reflektiert (und legitimiert): »Mit der Versachlichung des Geistes werden die Beziehungen der Menschen selbst verhext, auch die jedes einzelnen zu sich. Er schrumpft zum Knotenpunkt konventioneller Reaktionen und Funktionsweisen zusammen, die sachlich von ihm erwartet werden. Der Animismus hatte die Sachen beseelt, der Indutrialismus versachlicht die Seelen«.[6] Bereits hier wird der interne Zusammenhang zwischen dem, was Lukács »Verdinglichung« nannte, und der Ausbreitung naturwissenschaftlicher Denkweisen deutlich: indem die Menschen zusammen mit der lebendigen Natur und den Lebensprozessen der Gesellschaft zum Objekt naturwissenschaftlich (quantifizierend-kausal-funktional) orientierter Beschreibungen und Erklärungen werden, werden sie in ihrem Selbstverständnis wie in ihren sozialen Beziehungen Dingen angeglichen, das heißt den Gegenständen der Physik. Da das eigentliche Ideal der neuzeitlichen Naturwissenschaft die mathematische Physik ist, kann man auch, Sellars paraphrasierend, sagen, daß die mathematische Physik zum Maßstab dessen wird, was wirklich ist und was nicht. Genau in diesem Sinn heißt es bei Adorno und Horkheimer: »Natur ist, vor wie nach der Quantentheorie, das mathematisch zu erfassende; selbst was nicht eingeht, Unauflöslichkeit und Irrationalität, wird von mathematischen Theoremen umstellt.«[7] 2. Schritt: Als nächstes ist die These vom »instrumentalistischen« Charakter der naturwissenschaftlichen Denkweise zu erläutern. Ein Wissen im Sinne der mathematischen Physik, welches die Realität zu einem Netzwerk funktionaler (kausaler oder statistischer), experimentell erforschbarer, quantitativ faßbarer nomologischer Relationen objektiviert, ist seiner *logischen Grammatik* nach »instrumentelles« Wissen, ein Wissen also, das technisch verwertbar und für die Kalkulation der Folgen zweckrationalen Handelns geeignet ist. Wissen dieser Art bedeutet, wie Bacon ganz richtig erkannte, Macht, das heißt die Erweiterung des Spielraums technischer Kontrolle oder Manipulation. Der Zusammenhang zwischen Naturwissenschaft und Technik, zwischen theoretischem Wissen und technischer Anwendung des Wissens auf objektivierte Prozesse ist somit in der logischen Grammatik naturwissenschaftlicher Theorien angelegt, d. h. in den Denk-, Beschreibungs- und Erklärungsformen der Naturwissenschaft. In dem Maße nun, in dem sich mit der Entwicklung und Ausbreitung der bürgerlichen Gesellschaft naturwissenschaftliche Denkweisen durchsetzen, breitet sich ein instrumentalistisches Verständnis von »Wissen« und »Praxis« über alle Bereiche des gesellschaftlichen Lebens aus – nicht zuletzt in der von Weber beschriebenen Form der »Rationalisierung« ökonomischer und bürokratischer Handlungssysteme, sowie im Zusammenhang damit in den Sozialwissenschaften, den Wirtschaftswissenschaften und der Psychologie. Zumindest in

der Moderne wird somit eine auf technische Kontrolle und Manipulation hin orientierte Objektivierung der natürlichen und gesellschaftlichen Wirklichkeit zum zentralen »Gehalt« der formalen Rationalisierungsprozesse. »Die Aufklärung verhält sich zu den Dingen wie der Diktator zu den Menschen. Er kennt sie, insofern er sie manipulieren kann. Der Mann der Wissenschaft kennt die Dinge, insofern er sie machen kann.«
Kehren wir zurück zu dem Satz über Kant, von dem wir ausgegangen waren: »Naturbeherrschung zieht den Kreis, in den Kritik der reinen Vernunft das Denken bannte.« Ich habe in zwei Schritten zu zeigen versucht, was mit diesem Satz gemeint ist: (1) Schon bei Kant wird die physikalisch beschreibbare Wirklichkeit zum Maße dessen, was als wirklich – d. h. erkennbar – behauptet werden darf; (2) die physikalische Form der Objektivierung der Wirklichkeit steht unter einem instrumentellen Apriori: Wissen ist Macht. Zwei Dinge gehören daher für Adorno und Horkheimer untrennbar zusammen: (1) Daß die *tote* Natur zum Paradigma von Wirklichkeit überhaupt wird; was bedeutet, daß auch die soziale, geistige und psychische Wirklickeit der Menschen nach den Maßstäben dieses Paradigmas aufgefaßt wird: Dem Reduktionismus der modernen Erfahrungswissenschaft entspricht die Verdinglichung der geistigen Natur oder der natürlichen Geistigkeit der Menschen. (2) Daß kalkulierende, quantifizierende Rationalität und technisch verwertbares Wissen zur beherrschenden Rationalitäts- und Denkform der Gesellschaft werden. Je mehr die Vernunft auf Funktionen der »Selbsterhaltung« reduziert wird, desto stärker muß sich eine Angleichung der menschlichen Natur und der sozialen Wirklichkeit an die anorganische Natur vollziehen. Das menschliche Leben wird zum chemischen Prozeß, der menschliche Leib zum »Körper«; und diese »Transformation ins Tote«, die aus der Verwandlung der Natur in »Stoff und Materie« resultierte[8], bedeutet im Zeichen einer total gewordenen instrumentellen Vernunft nicht nur ein methodologisches Vorurteil bestimmter Wissenschaften, sondern eine reale Veränderung der menschlichen und sozialen Wirklichkeit: die Gesellschaft wird zu einem Funktionszusammenhang, die Menschen zu manipulierbaren Dingen. »Damit« so sagen Adorno und Horkheimer, »schlägt Aufklärung in Mythologie zurück, der sie nie zu entrinnen wußte.«[9] »Mythologisch« ist eine im Zeichen wissenschaftlicher Objektivierung voran-

schreitende Aufklärung für Adorno und Horkheimer deshalb, weil das wissenschaftliche wie schon das mythologische Denken das jeweils Gegenwärtige als bloßen Fall des Immergleichen behandelt: sei es als Wiederholung immer wieder geschehender archetypischer Vorgänge wie im Mythos, sei es als ein durch allgemeine Gesetzmäßigkeiten determiniertes Ereignis wie in der Wissenschaft. »Die Subsumption des Tatsächlichen, sei es unter die sagenhafte Vorgeschichte, sei es unter den mathematischen Formalismus, die symbolische Beziehung des Gegenwärtigen auf den mythischen Vorgang im Ritus oder auf die abstrakte Kategorie in der Wissenschaft läßt das Neue als Vorbestimmtes erscheinen, das somit in Wahrheit das Alte ist. Ohne Hoffnung ist nicht das Dasein, sondern das Wissen, das im bildhaften oder mathematischen Symbol das Dasein als Schema sich zu eigen macht und perpetuiert.«[10] Die Menschen, so könnte man diese Sätze paraphrasieren, sitzen vor wie nach der Überwindung des Mythos in einem selbstkonstruierten Gefängnis; nur deshalb gelingt es ihnen nicht, den Bann des Tatsächlichen als des Notwendigen und Immergleichen abzuschütteln. So wie der Mythos schon ein Stück Aufklärung – erklärendes und systematisierendes Wissen – war, so ist die Aufklärung immer noch mythisch. Die fortschreitende Entzauberung der Welt durch die Aufklärung ist zugleich ihre fortschreitende *Ver*zauberung.
Dieses Ineinander von Entzauberung und Verzauberung der Welt durch die Aufklärung haben Adorno und Horkheimer in immer wieder neuen Wendungen zu fassen versucht. »Entzauberung« – das war die Überwindung animistischer und anthropomorpher Naturdeutungen im Zeichen einer zunehmenden Objektivierung und Beherrschung der Natur. Aber diese Entzauberung der Natur bedeutete zugleich eine Angleichung der lebendigen und geistigen Natur an die tote: Mimesis ans Tote. »Die Ratio, welche die Mimesis verdrängt, ist nicht bloß deren Gegenteil. Sie ist selber Mimesis: die ans Tote. Der subjektive Geist, der die Beseelung der Natur auflöst, bewältigt die entseelte nur, indem er ihre Starrheit imitiert und sich selber auflöst. Nachahmung tritt in den Dienst der Herrschaft, indem noch der Mensch vorm Menschen zum Anthropomorphismus wird.«[11]
»Mimesis ans Tote« verstehen Adorno und Horkheimer, ganz im Sinne von Lukács' Analyse des verdinglichten Bewußtseins, durchaus als einen realen gesellschaftlichen Prozeß, dem das

Bewußtsein und Selbstverständnis der Menschen ebenso unterworfen ist wie ihre sozialen Beziehungen. Instrumentelle Rationalität nimmt die Form des gesellschaftlichen Systems an, in dem die menschliche Subjektivität zu einem bloß noch störenden Element wird: »Je weiter aber der Prozeß der Selbsterhaltung durch bürgerliche Arbeitsteilung geleistet wird, umso mehr erzwingt er die Selbstentäußerung der Individuen, die sich an Leib und Seele nach der technischen Apparatur zu formen haben.«[12] Wo die menschliche Subjektivität nur noch als Störungsquelle technisierter und bürokratisierter Systeme ins Gewicht fällt, ist es nicht weit bis zur organisierten Massenvernichtung wie auch bis zu jenen kriegsstrategischen Planspielen, bei denen heute schon die Fortsetzung eines Atomkriegs nach dem Ende des menschlichen Lebens durch Roboter ins Auge gefaßt wird. Die *Dialektik der Aufklärung* ist über weite Strecken eine Phänomenologie jener Verdinglichungsprozesse, die solche apokalyptischen Perspektiven zusammen mit den Bedingungen totalitärer Herrschaft erst möglich gemacht haben. Auch in unauffälligen, scheinbar progressiven Veränderungen in der Geschichte der bürgerlichen Gesellschaft entdecken Adorno und Horkheimer Elemente einer heraufkommenden totalitären Herrschaftsform. So nehmen sie Analysen Foucaults vorweg, wenn sie die Humanisierung des Strafvollzugs in der bürgerlichen Gesellschaft in Beziehung setzen zu den totalitären Systemen des 20. Jahrhunderts. Im bürgerlichen Strafvollzug wird nicht mehr der Körper direkt attackiert, sondern die Seele langsam zu Tode gemartert; Gefängnis und Irrenhaus werden ununterscheidbar. »Wie nach Tocqueville die bürgerlichen Republiken im Gegensatz zu den Monarchien nicht den Körper vergewaltigen, sondern direkt auf die Seele losgehen, so greifen die Strafen dieser Ordnung die Seele an. Ihre Gemarterten sterben nicht mehr aufs Rad geflochten die langen Tage und Nächte hindurch, sondern verenden geistig, als unsichtbares Beispiel still in den großen Gefängnisbauten, die von den Irrenhäusern fast nur noch der Name trennt.«[13]
Soviel zur Phänomenologie einer verdinglichenden Rationalität, wie sie von Adorno und Horkheimer beschrieben wird. Zu beantworten bleibt die Frage, was die Verdinglichung der Wirklichkeit mit den Bedingungen begrifflichen Denkens zu tun hat. Erst mit dieser Frage nähern wir uns der zentralen erkenntniskritischen These der *Dialektik der Aufklärung*, die Adorno dann in

seinem Spätwerk, vor allem der *Negativen Dialektik* und der *Ästhetischen Theorie* entfaltet hat. Was die These selbst betrifft, so stammt sie eigentlich von Nietzsche. In den Aufzeichnungen des Nachlasses heißt es: »Die Logik ist geknüpft an die Bedingung: *gesetzt es gibt identische Fälle.* Tatsächlich, damit logisch gedacht und geschlossen wird, *muß* diese Bedingung erst als erfüllt fingiert werden. Das heißt: der Wille zur *logischen* Wahrheit kann erst sich vollziehen, nachdem eine grundsätzliche *Fälschung* alles Geschehenen angenommen ist ...«[14] Die paradoxe These Nietzsches ist, daß was *wir* Wahrheit nennen, auf einer Fälschung der Wirklichkeit beruht: der Wahrheitsanspruch des diskursiven Denkens ist selbst nur ein Schein. »Die Logik«, so fährt Nietzsche fort, »stammt nicht aus dem Willen zur Wahrheit.« Was wie ein »Wille zur Wahrheit« aussieht, ist in Wirklichkeit ein Wille zur Bemächtigung der Wirklichkeit, ist Wille zur Macht: »Man soll die *Nötigung,* Begriffe, Gattungen, Formen, Zwecke, Gesetze zu bilden *(»eine Welt der identischen Fälle«)* nicht so verstehen, als ob wir damit die *wahre* Welt zu fixieren imstande wären; sondern als Nötigung, uns eine Welt zurechtzumachen, bei der *unsere Existenz* ermöglicht wird: – wir schaffen damit eine Welt, die berechenbar, vereinfacht, verständlich usw. für uns ist.«[15] Ganz ähnlich wird Adorno in der *Negativen Dialektik* vom »zurüstenden« und »abschneidenden« Charakter der Allgemeinbegriffe reden, und desgleichen vom Scheincharakter begrifflicher Erkenntnis: »Der Schein von Identität wohnt ... dem Denken selber seiner puren Form nach inne. Denken heißt identifizieren. Befriedigt schiebt begriffliche Ordnung sich vor das, was Denken begreifen will.«[16] Aber schon was in der *Dialektik der Aufklärung* über den »instrumentellen« Charakter der Begriffe gesagt wird, klingt wie eine Wiederholung Nietzsches: »Zwar ist Vorstellung nur ein Instrument. Die Menschen distanzieren denkend sich von Natur, um sie so vor sich hinzustellen, wie sie zu beherrschen ist. Gleich dem Ding, dem materiellen Werkzeug, das in verschiedenen Situationen als dasselbe festgehalten wird und so die Welt als das Chaotische, Vielseitige, Disparate vom Bekannten, Einen, Identischen scheidet, ist der Begriff das ideelle Werkzeug, das in die Stelle an allen Dingen paßt, wo man sie packen kann.«[17] Erst durch diese Übernahme eines Nietzscheschen Gedankens, welcher die Einheit von formaler und instrumenteller Vernunft in der Natur des diskursiven

Denkens verankert, erhält die Marx-Lektüre Adornos und Horkheimers jene radikale erkenntniskritische Wendung, die sie von allen vorangegangenen Marx-Interpretationen unwiderruflich unterscheidet: Wie Marx gehen sie davon aus, daß die Entwicklung der Wissensformen eingebettet ist in den Prozeß der Unterwerfung der Natur durch menschliche Arbeit; aber anders als Marx sehen sie in der Unterwerfung der Natur nicht mehr einen Wahrheitsbeweis für das objektivierende Denken, sondern nur einen Beweis seiner Scheinhaftigkeit und Gewaltsamkeit. Zugleich jedoch halten sie *gegen* Nietzsche an einer Marxschen Interpretation dieses Befundes fest: die *Scheinhaftigkeit* des identifizierenden Denkens bezeichnet für sie den *ideologischen* Charakter der instrumentellen Rationalität; der Begriff der Ideologie aber, d. h. des gesellschaftlich notwendigen Scheins, setzt den der Wahrheit voraus. Adorno und Horkheimer halten mit der utopischen Perspektive der Marxschen Theorie zugleich einen emphatischen Begriff der Wahrheit fest, der aber nun gleichsam exterritorial gedacht werden muß zur Welt des identifizierenden Denkens, zum Verblendungszusammenhang der instrumentellen Rationalität. Was bei Nietzsche als ein mutwilliges Spiel mit dem Worte »Wahrheit« erschien, wird in der *Dialektik der Aufklärung* zu tödlichem Ernst; daher auch die Forderung Adornos, die Philosophie müsse versuchen, das Undenkbare zu denken, das Unsagbare auszusprechen, also im Medium des Begriffs über den Begriff hinauszukommen. Dies ist zugleich die Ausgangskonstellation des Gedankens in Adornos *Negativer Dialektik*.
Während ich bisher Adornos und Horkheimers erkenntniskritische Marx-Lektüre erläutert habe, möchte ich jetzt ihre materialistische Kant-Lektüre erläutern. Ausgangspunkt ist der Gedanke von der Korrelativität von Objekt und Subjekt, von der »Synthesis« des »Etwas-Denkens« und der Einheit des »Ich-denke«. Für Adorno und Horkheimer ist das transzendentale Subjekt Kants der weltlose Schatten, den die realen Menschen auf eine Philosophie werfen, welche sie als wirkliche Subjekte aus Fleisch und Blut nicht mehr zu denken vermag. Die wirklichen Subjekte sind ein Teil der Natur, hervorgegangen aus der »Spaltung des Lebens in den Geist und seinen Gegenstand«.[18] Adorno und Horkheimer verstehen die Einheit des »Ich denke« freudianisch: als die Ausbildung eines Ich, das als »Instanz des reflektierenden Vor- und Überblicks« gedacht ist. Der Konsistenzzwang des begrifflichen

Denkens setzt ein konsistentes, das heißt einheitliches Ich voraus; so wie aber das begriffliche Denken aus Funktionen der Selbsterhaltung erklärt wird, so wird auch die Bildung des Ich als Funktion der Selbsterhaltung gedeutet: die Ausbildung eines einheitlichen Ich geschieht im Dienste der Erhaltung dessen, was das naturhafte Substrat dieses Selbst ist, des menschlichen *Lebens.* So wird, paradox gesprochen, das Selbst zu einer Funktion der Selbst-*Erhaltung.* Die Ausbildung des Selbst im Dienste der Selbst-Erhaltung ist freilich zugleich ein Selbst-*Opfer:* Das »identisch beharrende Selbst« ist ein »Opfer des Selbst«[19], weil die Einheitlichkeit des Selbst notwendigerweise bezahlt wird mit der Unterdrückung und Reglementierung der inneren Natur: d. h. all jener Impulse, Regungen und Wünsche, die jeweils im Augenblick der Gegenwart auf Befriedigung drängen, auf Glück und Lust abzielen. Wenn die lebendige Substanz des menschlichen Lebens in den anarchischen Impulsen des Leibes beschlossen ist, so bedeutet die Ausbildung eines einheitlichen Selbst – dies ist die triebdynamische Seite der Subjektwerdung – eine Opferung dieser lebendigen Substanz. »Die Herrschaft des Menschen über sich selbst, die sein Selbst begründet, ist virtuell allemal die Vernichtung des Subjekts, in dessen Dienst sie geschieht, denn die beherrschte, unterdrückte und durch Selbsterhaltung aufgelöste Substanz ist gar nichts anderes als das Lebendige, als dessen Funktion die Leistungen der Selbsterhaltung einzig sich bestimmen, eigentlich gerade das, was erhalten werden soll.«[20] Die Geschichte der Zivilisation ist die Geschichte der Entsagung[21]: das Ich verdankt sich »dem Opfer des Augenblicks an die Zukunft«.[22] Der Konsistenzzwang des begrifflichen Denkens, ausgebildet im Dienste der Selbsterhaltung, schlägt als Konsistenzzwang auf das Selbst des Denkens zurück: die Herrschaft über die äußere Natur ist nur um den Preis der Unterdrückung der inneren Natur möglich. Die unterdrückte innere Natur aber drängt gleichsam gegen die starren Grenzen des Ich an: hieraus erklärt sich, daß die Angst vor dem Selbst-Verlust, die vom Motiv der Selbst-Erhaltung nicht zu trennen ist, und die im zivilisatorischen Tabu über alle Formen anarchischer Sinnlichkeit sich äußert, verbunden ist mit der *Lockung* des Selbst-Verlusts im Rausch, in der Ekstase oder im Wahnsinn. »Furchtbares hat die Menschheit sich antun müssen, bis das Selbst, der identisch zweckgerichtete Charakter des Menschen geschaffen war, und etwas davon wird noch in jeder Kindheit wiederholt. Die Anstrengung, das Ich zusammenzuhalten, haftet dem Ich auf allen Stufen an, und stets war die Lockung, es zu verlieren, mit der blinden Entschlossenheit zu seiner Erhaltung gepaart. Der narkotische Rausch, der für die Euphorie, in der das Selbst suspendiert ist, mit todähnlichem Schlaf büßen läßt, ist eine der ältesten gesellschaftlichen Veranstaltungen, die zwischen Selbsterhaltung und -vernichtung vermitteln, ein Versuch des Selbst, sich selber zu überleben. Die Angst, das Selbst zu verlieren, und mit dem Selbst die Grenze zwischen sich und anderem Leben aufzuheben, die Scheu vor Tod und Destruktion, ist einem Glücksversprechen verschwistert, von dem in jedem Augenblick die Zivilisation bedroht war. Ihr Weg war der von Gehorsam und Arbeit, über dem Erfüllung immerwährend bloß als Schein, als entmachtete Schönheit leuchtet.«[23]

Die »Spaltung des Lebens in den Geist und seinen Gegenstand« führt zur Ausbildung des einheitlichen Selbst als eines Stückes disziplinierter, »vergeistigter« Natur. Der Geist entspringt der Selbst-Entzweiung der Natur mit sich; aber er *weiß* sich nicht als Natur: aus Funktionen der Selbsterhaltung des Lebendigen hervorgegangen ist der Geist gleichsam von seinen Ursprüngen her selbst-*vergessen*: die Tendenz zur Verdinglichung, die ihm innewohnt und die – wie wir sahen – in der mathematisch-naturwissenschaftlichen Denkform der Moderne kulminiert, bedeutet tendenziell auch, daß der Geist als lebendiger aus dem Universum dessen, was das begriffliche Denken erfassen kann, verschwindet; er selbst muß sich am Ende in Kategorien der toten Natur ausbuchstabieren: er wird zur Mimesis ans Tote. Die Selbstvergessenheit des Geistes ist das Vergessen seiner eigenen Naturhaftigkeit – Natur hier verstanden im Sinne der lebendigen Natur –, ist Verleugnung der Natur im Subjekt. Mit der Verleugnung der Naturhaftigkeit des Geistes aber, mit der Verleugnung der Natur im Subjekt, verliert zugleich die Aufklärung ihr eigenes Ziel aus den Augen; der Geist wird blind, Rationalität irrational. »Eben diese Verleugnung (d. h. der Natur im Menschen, A. W.) der Kern aller zivilisatorischen Rationalität, ist die Zelle der fortwuchernden mythischen Irrationalität: mit der Verleugnung der Natur im Menschen wird nicht bloß das Telos der auswendigen Naturbeherrschung, sondern das Telos des eigenen Lebens verwirrt und undurchsichtig. In dem Augenblick, in dem der

Mensch das Bewußtsein seiner selbst als Natur sich abschneidet, werden alle die Zwecke, für die er sich am Leben erhält, der gesellschaftliche Fortschritt, ja Bewußtsein selber, nichtig, und die Inthronisierung des Mittels als Zweck, die im späten Kapitalismus den Charakter offenen Wahnsinns annimmt, ist schon in der Urgeschichte der Subjektivität wahrnehmbar.«[24]
Ich breche hier ab. Mit meiner Darstellung zentraler Motive und Gedanken der *Dialektik der Aufklärung* wollte ich Ihnen etwas von jener gedanklichen Grundkonstellation vermitteln, von der Adornos philosophisches Spätwerk seinen Ausgang nimmt. Die Frage, die die *Dialektik der Aufklärung* hinterläßt, ist: Wie kann eine befreite und humane Gesellschaft, wie können Wahrheit, Freiheit und Gerechtigkeit überhaupt noch gedacht werden, wenn der Verblendungszusammenhang der instrumentellen Rationalität, wenn Verdinglichung und Naturvergessenheit in den Bedingungen begrifflichen Denkens selbst angelegt sind? Adorno und Horkheimer sind keine Irrationalisten; gut marxistisch – und zugleich hegelisch – halten sie vielmehr daran fest, daß der Prozeß der Zivilisation *trotz allem* ein Prozeß der *Aufklärung* ist; nur als dessen *Resultat* können Freiheit oder »Versöhnung« gedacht werden. Versöhnung kann nur als *Aufhebung* der Selbstentzweiung der Natur gedacht werden, erreichbar nur im Durchgang durch die Selbstkonstitution der Menschengattung in einer Geschichte der Arbeit, des Opfers und der Entsagung. Daraus folgt auch, daß der Prozeß der Aufklärung sich nur in seinem eigenen Medium – dem des naturbeherrschenden Geistes – selbst überbieten und vollenden könnte. Die Aufklärung der Aufklärung über sich selbst, das »Eingedenken der Natur im Subjekt«, ist nur im Medium des Begriffs möglich; das bedeutet aber auch, daß das begriffliche Denken, daß die Sprache nicht *nur* ein Medium der Verdinglichung ist, sondern daß ihr insgeheim eine utopische Perspektive, eine Perspektive der Versöhnung einbeschrieben ist. Gewiß ist die dominante Erscheinungsform des Geistes die einer gewaltsam hergestellten Einheit, die des Systems, in dem die totalitären Systeme des 20. Jahrhunderts sich ankündigen. Aber die Einheit des Systems enthält doch in veschlüsselter Form die Idee einer anderen Form der Einheit: einer gewaltlosen Einheit des Vielen, eines zwanglosen Zusammenhangs alles Lebendigen. »Einheit und Einstimmigkeit«, sagt Adorno in der *Negativen Dialektik* unter Anspielung auf die philosophischen Systeme der

Vergangenheit, »sind zugleich die schiefe Projektion eines befriedeten, nicht länger antagonistischen Zustandes auf die Koordinaten herrschaftlichen, unterdrückenden Denkens.«[25] Dies erklärt zugleich etwas von Adornos Verhältnis zu den philosophischen Systemen des deutschen Idealismus und zur philosophischen Tradition überhaupt. Er verhält sich zu dieser wie ein Schatzsucher, der aus den zerfallenen Gebäuden der Metaphysik Bruchstücke der Wahrheit zu retten und ins Offene zu bringen versucht. Die *Negative Dialektik* ist ein einziger Dialog mit Kant und Hegel.

So wie Adorno gesellschaftliche Emanzipation als eine Selbstüberschreitung des verdinglichenden Geistes gedacht hat, so hat er die Möglichkeit philosophischer Wahrheit in einer Selbstüberschreitung des begrifflichen Denkens gesehen. Dies meint die Forderung, die Philosophie müsse »über den Begriff durch den Begriff« hinausgelangen. In der *Negativen Dialektik* hat Adorno diese Selbstüberbietung des Begriffs als die Hereinnahme eines »mimetischen« Moments in das begriffliche Denken zu charakterisieren versucht. Rationalität und Mimesis müssen zusammentreten, um die Rationalität aus ihrer Irrationalität zu erlösen. Mimesis ist der Name für die sinnlich rezeptiven, expressiven und kommunikativen Verhaltensweisen des Lebendigen. Der Ort, an dem mimetische Verhaltensweisen im Prozeß der Zivilisation als *geistige* sich erhalten haben, ist die Kunst: Kunst *ist* vergeistigte, durch Rationalität verwandelte und objektivierte Mimesis. Hieraus erklärt sich, daß für Adorno Kunst und Philosophie die beiden Sphären des Geistes bezeichnen, in denen dieser durch die Verschränkung des rationalen mit einem mimetischen Moment die Kruste der Verdinglichung durchbricht. Freilich geschieht diese Verschränkung in beiden Fällen vom jeweils entgegengesetzten Pol her: in der Kunst nimmt das Mimetische die Gestalt des Geistes an, in der Philosophie sänftigt der rationale Geist sich zum mimetisch-Versöhnenden. Geist als »versöhnender« ist das Kunst und Philosophie gemeinsame Medium; er ist aber auch der Inbegriff ihres gemeinsamen Bezugs auf Wahrheit, ihr gemeinsamer Fluchtpunkt, ihre Utopie. So wie nämlich der Begriff des instrumentellen Geistes nicht nur ein kognitives Verhältnis, sondern ein Strukturprinzip der Beziehungen zwischen den Menschen und zwischen Mensch und Natur meint, so steht der Begriff des versöhnenden Geistes nicht nur für die »gewaltlose

Synthesis des Zerstreuten« im Schönen der Kunst und im philosophischen Gedanken, sondern zugleich für die gewaltlose Einheit des Vielen in einem versöhnten Zusammenhang alles Lebendigen. In den Erkenntnisformen von Kunst und Philosophie ist dieser versöhnte Zusammenhang des Lebendigen vorgebildet als die gewaltlose Überbrückung der Kluft zwischen Anschauung und Begriff, zwischen Besonderem und Allgemeinem, zwischen Teil und Ganzem. Und nur dieser, den versöhnten Zustand in sich vorbildenden Gestalt des Geistes kann *überhaupt* Erkenntnis zufallen; in diesem Sinn ist der Schlußaphorismus aus den *Minima Moralia* zu verstehen, der in nuce enthält, was Adorno in seinen philosophischen Hauptwerken, der *Negativen Dialektik* und der *Ästhetischen Theorie* entfalten wird:

»Philosophie, wie sie im Angesicht der Verzweiflung einzig noch zu verantworten ist, wäre der Versuch, alle Dinge so zu betrachten, wie sie vom Standpunkt der Erlösung sich darstellten. Erkenntnis hat kein Licht, als das von der Erlösung her auf die Welt scheint: alles andere erschöpft sich in der Nachkonstruktion und bleibt ein Stück Technik. Perspektiven müßten hergestellt werden, in denen die Welt ähnlich sich versetzt, verfremdet, ihre Risse und Schründe offenbart, wie sie einmal als bedürftig und entstellt im Messianischen Lichte daliegen wird. Ohne Willkür und Gewalt, ganz aus der Fühlung mit den Gegenständen heraus solche Perspektiven zu gewinnen, darauf allein kommt es dem Denken an. Es ist das Allereinfachste, weil der Zustand unabweisbar nach solcher Erkenntnis ruft, ja weil vollendete Negativität, einmal ganz ins Auge gefaßt, zur Spiegelschrift ihres Gegenteils zusammenschießt. Aber es ist auch das ganz Unmögliche, weil es einen Standort voraussetzt, der dem Bannkreis des Daseins, wäre es auch nur um ein Winziges, entrückt ist, während doch jede mögliche Erkenntnis nicht bloß dem was ist erst abgetrotzt werden muß, um verbindlich zu geraten, sondern eben darum selber auch mit der gleichen Entstelltheit und Bedürftigkeit geschlagen ist, der sie zu entrinnen vorhat. Je leidenschaftlicher der Gedanke sich abdichtet gegen sein Bedingtsein um des Unbedingten willen, um so bewußtloser, und damit verhängnisvoller, fällt er der Welt zu. Selbst seine eigene Unmöglichkeit muß er noch begreifen um der Möglichkeit willen. Gegenüber der Forderung, die damit an ihn ergeht, ist aber die Frage nach der Wirklichkeit oder Unwirklichkeit der Erlösung selber fast gleichgültig.«[26]

Nachdem schon die *Dialektik der Aufklärung* den Verblendungszusammenhang des instrumentellen Geistes auf die Bedingungen begrifflichen Denkens zurückgeführt hatte, kann Adorno das Andere des instrumentellen Geistes nur noch in der theologischen Kategorie der Erlösung denken. Hier zeigt sich ein weiteres Motiv für Adornos Schatzsuche in den Trümmern der Metaphysik: in ihr, der Metaphysik, sieht er, wenngleich in verkehrter Form, die Idee des Absoluten, die Idee der Versöhnung bewahrt, gerettet bereits aus den Trümmern der Theologie. Aber dies Absolute ist schwarz verhüllt. Weder Kunst noch Philosophie können es ergreifen oder aussprechen. Hierin ist die komplementäre Unzulänglichkeit von Kunst und Philosophie begründet. Im »Fragment über Musik und Sprache« hat Adorno diese komplementäre Unzulänglichkeit von ästhetischer und diskursiver Erkenntnis so beschrieben: »Die meinende Sprache möchte das Absolute vermittelt sagen, aber es entgleitet ihr in jeder einzelnen Intention, läßt eine jede als endlich hinter sich zurück. Musik trifft es unmittelbar, aber im gleichen Augenblick verdunkelt es sich, so wie überstarkes Licht das Auge blendet, welches das ganze Sichtbare nicht mehr zu sehen vermag.«[27] Die Sprache der Musik und die meinende, die signifikative Sprache erscheinen als die auseinandergebrochenen Hälften der »wahren Sprache«, einer Sprache, »in der der Gehalt selber offenbar« würde, wie es im selben Fragment heißt. Die Idee dieser Sprache ist »die Gestalt des göttlichen Namens«. Nur indirekt und gebrochen, im versöhnenden Blick auf eine entstellte Wirklichkeit, können Kunst und Philosophie die Idee des Absoluten bewahren. Für die Philosophie bedeutet dies, »das von den Begriffen Unterdrückte, Mißachtete und Weggeworfene ... mit Begriffen aufzutun, ohne es ihnen gleichzumachen.«[28] Dies ist die Idee einer negativen Dialektik, die der Metaphysik die Treue hält, indem sie den Systemzwang aufsprengt. Nichts anderes sagt der Schlußsatz der *Negativen Dialektik:* »Die kleinsten innerweltlichen Züge hätten Relevanz fürs Absolute, denn der mikrologische Blick zertrümmert die Schalen des nach dem Maß des subsumierenden Oberbegriffs hilflos Vereinzelten und sprengt seine Identität, den Trug, es wäre bloß Exemplar. Solches Denken ist solidarisch mit Metaphysik im Augenblick ihres Sturzes.«[29]

Die Perspektive einer negativen Theologie in Adornos Werk ist ebenso wie seine Idee der Philosophie in seiner Kritik des »identifizierenden Denkens« begründet, deren dramatischen geschichtsphilosophischen Hintergrund ich oben angedeutet habe. Wie steht es aber mit dieser Kritik selbst? Adorno hat diese Kritik, wie wir gesehen haben, so tief angesetzt, daß vom Ansatzpunkt der

Kritik her eine andere als eine »schlechte« Vernunft eigentlich nicht mehr sich *denken* läßt; in dieser Schwierigkeit sind alle Paradoxien und Aporien von Adornos Philosophie beschlossen, ist auch die Notwendigkeit einer versöhnungsphilosophischen Perspektive begründet: ohne eine solche versöhnungsphilosophische Perspektive würde eine nicht-verdinglichende Vernunft – als das versöhnende Andere der geschichtlich wirklichen Vernunft – ununterscheidbar von der reinen Nicht-Vernunft. Paradoxerweise ergibt sich aber, wie ich glaube, die aporetische Grundkonstellation von Adornos Denken nur daraus, daß er das »Eingedenken der Natur im Subjekt« nicht radikal genug vollzogen hat. Sein Begriff des Begriffs und der sprachlichen Bedeutung bleibt insgeheim einer rationalistischen Tradition der Sprachphilosophie, nämlich dem Modell eines sinnkonstitutiven Subjekts und einer Namenstheorie der Bedeutung verhaftet. Adorno verwendet die sprachphilosophischen Grundbegriffe, in denen er die Kritik des identifizierenden Denkens formuliert, gleichsam naiv, so als ließe sich Nietzsches offen paradoxale Demaskierung des begrifflichen Denkens im Sinne einer traditionellen philosophischen These wörtlich nehmen. In der Allgemeinheit von Wortbedeutungen liegt aber nicht schon eo ipso eine Gewalttätigkeit gegenüber dem Nicht-Identischen; dies wird deutlich, wenn man sich klarmacht, daß man überhaupt nicht verstehen kann, was »Allgemeinheit« hier heißt, wenn man nicht im Wort »Bedeutung« das »Nicht-Identische« der Verwendungssituationen, gleichsam ein Moment der Nicht-Identität an der Bedeutung selbst mitdenkt. Von jeweils ganz Verschiedenem zu sagen, es sei ein Werkzeug oder eine Theorie, in ganz verschiedenen Situationen zu sagen »Ich bin traurig« oder »das Wetter schlägt um«, hierin ist zwar impliziert, daß die sprachlichen Ausdrücke selbst nicht das wiedergeben, was in den Situationen ihrer Verwendung *verschieden* ist; aber sie sind die sprachlichen Ausdrücke, die sie sind, nur dadurch, daß in ihrer singulären Verwendung ein Horizont anderer Verwendungen – vergangener und möglicher – mit präsent ist. Wortbedeutungen in diesem Sinne setzen eine gemeinsame Praxis voraus und lassen sich nicht auf eine Intention zur »Wirklichkeitsbemächtigung« zurückführen. Dies müßte ja eine Intention noch *hinter* der Sprache sein. Damit wir, wie Nietzsche es tut, von einer »Fälschung« der Wirklichkeit reden können, muß uns die Wirklichkeit in der Sprache schon erschlossen sein; damit wir von einer Korrumpierung der Sprache sinnvoll reden können, muß es einen unkorrumpierten Gebrauch der Sprache geben. (So, wie es viel Unbezweifeltes geben muß, damit der Zweifel Sinn macht.) Wenn es sich aber so verhält, dann kann der Abstand zwischen einem »abschneidenden« und »zurüstenden«, das heißt verdinglichenden und »etikettierenden« Sprachgebrauch einerseits und einem »hinsehenden«, das Besondere achtenden, urteilsfähigen Gebrauch der Sprache andererseits nicht so unermeßlich sein, wie die Kritik des identifizierenden Denkens ihn erscheinen läßt: es muß ein Unterschied *innerhalb* des Gebrauchs der normalen Sprache, des »identifizierenden Denkens« sein. Dies heißt aber, ein »mimetisches«, ein kommunikatives Moment im *Innern* der Sprache, im Innern des »identifizierenden Denkens« anzuerkennen. Weil Adorno dies nicht getan hat, weil er, paradox gesprochen, sein Mißtrauen gegen den philosophischen Allgemeinbegriff nicht auf seine eigene Kritik am identifizierenden Denken zurückgewendet hat, deshalb ist ein Stück falscher philosophischer Systematik in seine Philosophie eingedrungen, die sich von der Kritik des diskursiven Begriffs bis in die aporetischen Konstruktionen seiner Spätphilosophie verzweigt. Hieraus resultieren die starren Züge von Adornos Philosophie: Merkmale nicht einer negativen, sondern einer stillgestellten Dialektik. Gerade weil Adornos Philosophie diese starren Züge *auch* hat, hängt alles davon ab, *wie* man ihn liest: Man kann Adornos Spätwerk ebensowohl als die aporetische Entfaltung seiner Kritik des identifizierenden Denkens lesen wie auch als die Einlösung der hieraus abgeleiteten Postulate zur Sprache der Philosophie. Beide Lesarten passen nicht zusammen. Die erste nimmt das Stück Systematik wörtlich, das in Adornos Philosophie enthalten ist. In diesem Falle ist es leicht, Adorno der Künstlichkeit und Unstimmigkeit seiner philosophischen Konstruktionen zu überführen, wie viele Kritiker dies getan haben. Die zweite Lesart sieht zwar nicht einfach von der eben erwähnten Systematik ab, aber sie verflüssigt diese, indem sie dort, wo die erste Lesart nur Äquivokationen, Widersprüche oder Aporien entdeckt, die jeweils *mögliche* Bedeutung Adornoscher Kategorien aus dem spezifischen Kontext heraus zu entschlüsseln versucht, in dem er sie verwendet. Bei Adorno ist es so, als hätte er ein dreidimensionales System von Grundkategorien auf eine zweidimensionale Fläche projiziert; man muß diese Projektion rückgängig machen, man muß ihn, wie ich es an anderer Stelle ausgedrückt habe, »stereoskopisch« lesen, um seine philosophischen Einsichten gegen seine eigene Systematik zur Geltung zu bringen. Versucht man dies, so erscheinen Adornos Texte unvergleichlich in ihrer Kraft zur philosophischen Durchdringung von ästhetischer und gesellschaftlicher Erfahrung. Die Disproportion zwischen geheimer Systematik und offenem Philosophieren ist schließlich der tiefste Grund für die Schwierigkeiten eines einführenden Adorno-Referats. Ein solches Referat versucht ja notwendigerweise Grundgedanken eines Autors darzustellen. Im Falle Adornos führt ein solcher Versuch aber fast notwendig zu der Erfahrung, daß einem das Wesentliche durch die Maschen schlüpft: dieses, das Wesentliche, steckt nicht in den *referierbaren Grundgedanken,* und zwar nicht einmal in dem Sinne, in dem man dies für Kant behaupten könnte, es steckt vielmehr in *zitierbaren Formulierungen.* Genau hierin nähern Adornos Texte sich literarischen Produktionen an: man muß sie lesen, man kann sie zitieren, aber man kann sie nicht zusammenfassend referieren, ohne sie zu verstümmeln. Gleichwohl sind es *philosophische* Texte, und zwar im Sinne einer Philosophie, deren Idee Adorno in der *Negativen Dialektik* sehr präzise erläutert hat.

Es heißt dort, daß »der Philosophie ihre Darstellung nicht äußerlich ist sondern ihrer Idee immanent«.[30] Deshalb sind auch das ästhetische und rhetorische Moment der Philosophie nicht akzidentell. »Denken wird erst als Ausgedrücktes, durch sprachliche Darstellung, bündig; das lax Gesagte ist schlecht gedacht.«[31] Und in einer Anspielung auf Schönbergs Kritik der traditionellen Musiktheorie heißt es: »Analog hätte Philosophie nicht sich auf Kategorien zu bringen sondern in gewissem Sinn erst zu komponieren. Sie muß in ihrem Fortgang unablässig sich erneuern, aus der eigenen Kraft ebenso wie aus der Reibung mit dem, woran sie sich mißt; was in ihr sich zuträgt, entscheidet, nicht These oder Position; das Gewebe, nicht der deduktive oder induktive, eingleisige Gedankengang. Daher ist Philosophie wesentlich nicht referierbar. Sonst wäre sie überflüssig; daß sie meist sich referieren läßt, spricht gegen sie.«[32] Oder, in einer Formulierung, die zwar nicht von Wittgenstein sein könnte, aber dessen eigene Kritik der Philosophie wie auch dessen philosophisches Verfahren recht gut beschreibt: »Das traditionelle Denken und die Gewohnheiten des gesunden Menschenverstandes, die es hinterließ, nachdem es philosophisch verging, fordern ein Bezugssystem, ein frame of reference, in dem alles seine Stelle findet. Nicht einmal allzuviel Wert wird auf die Einsichtigkeit des Bezugssystems gelegt – es darf sogar in dogmatischen Axiomen niedergelegt werden – wofern nur jede Überlegung lokalisierbar wird und der ungedeckte Gedanke ferngehalten. Demgegenüber wirft Erkenntnis, damit sie fruchte, à fond perdu sich weg an die Gegenstände. Der Schwindel, den das erregt, ist ein index veri; der Schock des Offenen, die Negativität, als welche es im Gedeckten und Immergleichen notwendig erscheint, Unwahrheit nur fürs Unwahre.«[33] Und schließlich erläutert Adorno in immer neuen Wendungen seine Idee einer Philosophie, die, analog dem modernen Kunstwerk, nicht mehr die Einheit des geschlossenen Systems, sondern eine Einheit jenseits des Systems repräsentierte. Diese Einheit jenseits des Systems ist das, was Adorno eigentlich mit »negativer Dialektik« meint; deren Form wäre das philosophische Fragment oder, wie er auch sagt, ein »Ensemble von Modellanalysen«.[34]

Aber, so mögen Sie einwenden, dies kann doch nicht alles sein: zitierbare Formulierungen, die Idee eines offenen Philosophierens. Welches wären denn, so ließe sich der Einwand fortsetzen, die *Gehalte* von Adornos Philosophie, die bleiben, wenn die Philosophie der Versöhnung und die Kritik des identifizierenden Denkens in Frage gestellt werden müssen? Auf diese Frage gibt es mehrere mögliche Antworten. *Eine* Antwort wäre, auf Adornos ästhetische, musiksoziologische, gesellschaftstheoretische oder philosophische Einzelanalysen hinzuweisen. Gerade seine ästhetischen und musikphilosophischen Analysen sind, was er von der Philosophie insgesamt forderte, »die volle, unreduzierte Erfahrung im Medium begrifflicher Reflexion«[35] Aber ich müßte über Schönberg, Beethoven, Berg, Beckett oder Proust reden, nein, ich müßte über den Spätstil Beethovens, über Bergs kompositionstechnische Funde oder die Komposition des »Endspiel« reden, um auf die philosophischen Gehalte von Adornos Einzelanalysen zu kommen, ganz abgesehen davon, daß hier das Verfahren selbst tatsächlich ein Teil des philosophischen Gehalts ist: es ist die Praktizierung eines nicht von oben »identifizierenden« Denkens, eines die konkreten Phänomene deutenden und immanent aufschließenden Verfahrens, das sie in die Perspektive eines Allgemeinen rückt, ohne sie fertigen Oberbegriffen zu subsumieren.

Das ließe sich freilich nur an Beispielen anschaulich machen. Eine *zweite* mögliche Antwort wäre der Versuch, gleichsam im Innern von Adornos negativistischer Konstruktion der Moderne, im Innern seiner aporetischen Versöhnungsphilosophie eine *andere* Philosophie der Moderne, eine *andere* Sprachphilosophie sichtbar zu machen. Ich möchte abschließend andeuten, in welchem Sinne Adornos Philosophie der Versöhnung gelesen werden könnte als Versuch, eine *reale*, eine geschichtliche Selbstüberschreitung der Moderne zu denken; im modischem Jargon gesprochen heißt das: als eine Philosophie der Postmoderne.
Ich hatte früher erwähnt, wie zentral für Adorno die Idee einer »gewaltlosen Einheit des Vielen« ist, die für ihn in Opposition steht zu den Systembildungen des instrumentellen Geistes: von den rationalisierten Systemen und Subsystemen der modernen Gesellschaft über die deduktiven Systeme der Wissenschaft bis hin zur repressiven Einheit des bürgerlichen Subjekts. Adorno, der den Einheitszwang des instrumentellen Geistes bis in die Bedingungen des diskursiven Denkens zurückverfolgt, kann das Oppositionsverhältnis nur messianisch deuten: die Idee einer gewaltlosen Einheit des Vielen wird zur überschwenglichen Idee einer erlösten Natur. Diese erlöste Natur wird zu einem Jenseits der geschichtlichen Wirklichkeit, so wie wir allein sie denken können: d. h. einer Wirklichkeit in Raum und Zeit, begrenzt durch die Realität von Geburt und Tod und belastet mit der Erinnerung an unwiderrufliches Leiden und nicht wieder gut zu machendes Unrecht. Adorno ist der Konsequenz seines Gedankens nicht ausgewichen; die *Negative Dialektik* endet mit Meditationen über das Unrecht des Todes, die Auferstehung des Leibes und die Widerrufung des vergangenen Unrechts und Leides: Meditationen zur Metaphysik, insbesondere zu den Kantischen Postulaten der praktischen Vernunft, die ihre paulinische Färbung nicht verbergen. Gegen Kant besteht Adorno darauf, daß der Chorismos von Immanenz und Transzendenz nicht absolut gedacht werden dürfe: die Grenzen der Erfahrung sind die Grenzen *unserer* Erfahrung. So wie diese geschichtlich geworden sind, könnten sie sich auch geschichtlich verändern: wir *können nicht wissen*, was einmal mögliche Erfahrung sein wird. »Das naive Bewußtsein, dem wohl auch Goethe zuneigte: man wisse es noch nicht, aber vielleicht enträtsele es sich doch noch, ist an der metaphysischen Wahrheit näher als Kants Ignoramus.«[36]

Adorno versucht, materialistische Geschichtshoffnung und messianische Erlösungshoffnung zusammenzudenken: die Idee des ewigen Friedens mit der Hoffnung auf die Auferstehung des Leibes zu verknüpfen. Er fühlt sich dazu berechtigt, weil er die Grenzen möglicher Erfahrung im Sinne Kants und Schopenhauers als geschichtlich geworden und geschichtlich veränderbar denkt. An diesem Punkte aber wird Adornos Denken metaphysisch in einem nicht mehr negativ-dialektischen, sondern traditionellen Sinne: die geschichtliche Veränderung, die er zu denken versucht, wäre ja nicht nur die Erlösung der Kreatur aus dem Gefängnis einer endlichen, leidvollen Existenz zwischen Geburt und Tod, sondern zugleich die Aufhebung des Chorismus von Anschauung und Begriff. Daß aber für Adorno die Möglichkeit von Erkenntnis und Wahrheit mit dieser Hoffnung auf eine erlöste Natur steht und fällt, ist darin begründet, daß die Kritik des identifizierenden Denkens, die Adorno von Nietzsche – und Schopenhauer – übernahm, Wahrheit letztlich in ein Jenseits des Begriffs verbannt. Wenn aber Erkenntnis kein Licht hat, »als das von Erlösung her auf die Welt scheint«, dann kann die Kritik der instrumentellen Vernunft nur noch als Kritik der geschichtlichen Wirklichkeit im Ganzen formuliert werden: der Abstand zwischen Klassengesellschaft und klassenloser Gesellschaft wird zum Abgrund zwischen geschichtlicher und messianischer Zeit.
Es liegt in der Natur der Sache, daß dies alles sich nur paradoxal und aporetisch formulieren läßt; mit jedem Versuch einer Formulierung müssen wir ja zurückkehren in die Welt des begrifflichen Denkens. Das Absolute bleibt verhüllt: deshalb auch das Bilderverbot, das bei Adorno über die Utopie verhängt ist. Wenn nun aber die Kritik des identifizierenden Denkens, wie ich es oben angedeutet habe, philosophisch fragwürdig ist, dann haben wir Grund, mit Kant und gegen Adorno die Verwirrung von geschichtlicher und messianischer Zeit rückgängig zu machen: d. h. die Idee einer menschenwürdigen Gesellschaft von der Hoffnung auf die Auferstehung des Leibes, von der Hoffnung auf eine erlöste Natur zu trennen. Dies bedeutet nicht einfach, einen »Fehler« Adornos zu korrigieren. Ich glaube vielmehr, daß Adorno, gerade indem er eine messianische Komponente der Marxschen Theorie zu Ende gedacht hat, in seiner Philosophie zugleich Elemente einer postmarxistischen Theorie der Moderne freigesetzt hat. Elemente einer solchen postmarxistischen Theorie

der Moderne finden sich in Adornos Überlegungen zur Sprache der Philosophie ebenso wie in seiner *Ästhetischen Theorie.* Adorno zeichnet die Umrisse einer möglichen zweiten Aufklärung, einer Aufklärung der Aufklärung über sich selbst; er entwirft die Phänomenologie einer postrationalistischen Rationalitätsform und ihres de-zentrierten Subjekts. Man könnte dies direkt an Adornos Überlegungen zu einer »offenen«, auf die Absicherung durch Methode, definitorische Festlegungen, »frameworks«, Letztbegründungen und deduktive Geschlossenheit verzichtende Philosophie veranschaulichen; ich möchte statt dessen auf analoge Überlegungen Adornos zur modernen Kunst zurückgreifen.

Adorno hat die moderne Kunst durch ihre »anti-traditionalistische Energie« und ihre Abkehr vom *Schema* charakterisiert. Hierfür benutzt er die Ausdrücke »Nominalismus«, »Konstruktionsprinzip« und »offene Form«. Sie stehen gemeinsam für den »post-konventionellen« Charakter der modernen Kunst – für ihre Emanzipation von stilistischen, formalen und Bedeutungsschemata der Tradition; daher auch für ihre Individualisierung und die Zunahme ihrer Reflexivität. Der Anti-Traditionalismus der modernen Kunst, so sieht es Adorno, entspringt einer »Anstrengung zur Mündigkeit«.[37] Die Individualisierung der Sprache, die mit der »Negation objektiv verpflichtenden Sinns« einhergeht, bedingt das Konstruktionsprinzip: »Konstruktion ist die Form der Werke, die ihnen nicht länger fertig auferlegt ist, die aber auch nicht aus ihnen aufsteigt, sondern die ihrer Reflexion durch subjektive Vernunft entspringt.«[38] Die Durchsetzung des Konstruktionsprinzips ist gleichbedeutend mit der »ansteigenden Durchbildung des je Einzelnen«[39], mit der Befreiung vom »Rest des Schematischen«. Die organisatorische Funktion, die die ästhetischen Konventionen einmal hatten, wird ihnen »von der autonomen ästhetischen Subjektivität abgenommen, welche das Kunstwerk aus sich heraus in Freiheit zu organisieren strebt.«[40] Nun denkt Adorno die Befreiung vom Schema und die Emanzipation der ästhetischen Subjektivität zugleich als den Abbau eines verinnerlichten gesellschaftlichen Zwangs, der sich hinter den Form- und Bedeutungskonventionen der Tradition verbarg: diese garantierten ästhetische Einheit und ästhetischen Sinnzusammenhang auf Kosten eines Ausdrucks gesellschaftlich tabuierter Erfahrungen und Impulse. Sehr verkürzt könnte man sagen, daß

Adorno einen Zusammenhang sieht zwischen der harmonischen Einheit des bürgerlichen Kunstwerks und der repressiven Einheit des bürgerlichen Subjekts. Die ästhetische Aufklärung entdeckt, so stellt es sich für Adorno dar, in der Einheit des traditionellen Werks ebenso wie in der Einheit des bürgerlichen Subjekts ein Gewaltsames, Unreflektiertes und Scheinhaftes: einen Typus der Einheit nämlich, der nur um den Preis einer Unterdrückung und Ausgrenzung von Disparatem, Nicht-Integrierbarem, Verschwiegenem und Verdrängtem möglich war. Es handelt sich um die scheinhafte Einheit einer fingierten Sinn-Totalität, analog immer noch der Sinn-Totalität eines von Gott geschaffenen Kosmos. Die entgrenzten Formen der modernen Kunst sind nach Adorno eine Antwort des emanzipierten ästhetischen Bewußtseins auf das Scheinhafte und Gewaltsame solcher traditioneller Sinn-Totalitäten. Die Momente des *Schein*haften und des *Gewalt*samen an den Sinn-Synthesen der Tradition meint Adorno, wenn er einerseits die moderne Kunst als ›Prozeß gegen das Kunstwerk als Sinnzusammenhang‹ charakterisiert und wenn er andererseits für die moderne Kunst ein Prinzip der Individuierung und der ›ansteigenden Durchbildung des je Einzelnen‹ reklamiert. Beides läßt sich so zusammendenken, daß mit der Hereinnahme des Nicht-Integrierten, des Subjektfernen und Sinnlosen in der modernen Kunst ein um so höherer Grad an flexibler und individueller Organisationsleistung notwendig wird. Die »Öffnung« oder »Entgrenzung« des Werks ist gedacht als Korrelat einer ansteigenden Fähigkeit zur ästhetischen *Integration* des Diffusen und Abgespaltenen. Wenn man nun nicht nur an die ästhetischen *Produzenten* denkt, wie Adorno dies in einer eigentümlichen Verengung des Blicks immer getan hat, sondern auch an die *Rezipienten*, so könnte man sagen, daß die entgrenzten Formen der modernen Kunst nicht nur der ästhetische Spiegel eines dezentrierten Subjekts und seiner aus den Fugen geratenen Welt sind, sondern daß sie auch für einen möglichen neuen Umgang der Subjekte mit ihrer eigenen Dezentriertheit stehen: das heißt für eine Form der Subjektivität, die nicht mehr der rigiden Einheit des bürgerlichen Subjekts entspricht, sondern die die flexiblere Organisationsform einer »kommunikativ verflüssigten« Ich-Identität (Habermas) aufweist. Beides, die Erschütterung des Subjekts und seiner Sinn-Gehäuse in der modernen Welt, *und* die Möglichkeit eines neuen Umgangs mit einer de-zentrierten Welt durch Erweiterung der Subjektgrenzen, kündigt sich von weither in der modernen Kunst an. *Gegen* die Auswucherungen einer technischen und bürokratischen Rationalität, also gegen die dominante Rationalitätsform der modernen Gesellschaft brächte die moderne Kunst ein *emanzipatorisches* Potential der Moderne zur Geltung; in ihr würde nämlich ein neues Typus von »Synthesis«, von »Einheit« absehbar, bei dem das Diffuse, Nicht-Integrierte, das Sinnlose und Abgespaltene eingeholt würde in einen Raum gewaltloser Kommunikation – in den entgrenzten Formen der Kunst ebenso wie in den offenen Strukturen eines nicht mehr starren Individuations- und Vergesellschaftungstypus.

Ich komme zum Schluß. Adornos Obsession war die Überwindung des Identitätszwanges. Diese Obsession hat ihn scharfsichtig und zugleich blind gemacht. Wollte man seine Einsichten wirklich aus ihrer versöhnungsphilosophischen Hülle befreien, so müßte man auch noch den Begriff der Rationalität jenem obsessiven Blick aussetzen, unter dem in Adornos Philosophie die falschen Allgemeinheiten sich auflösen. Dann würde nämlich klarwerden, daß es jene Einheit der instrumentellen Vernunft nicht gibt, gegen welche Adorno die Hoffnung auf Versöhnung beschwor. Wir wären dann in einer besseren Position, die Idee einer zwanglosen Einheit auch noch auf den Begriff der Vernunft selbst zurückzuwenden. Vielleicht ließe sich Adornos Idee der Versöhnung noch einmal entmythologisieren und in den Begriff der Vernunft selbst hineintragen. Dies wäre nicht die Idee einer Überwindung der instrumentellen Rationalität durch eine ästhetische Rationalität, sondern die Idee einer Öffnung der verschiedenen Diskurse mit ihren partikularen Rationalitäten füreinander: die Aufhebung der *einen* Vernunft in einem Zusammenspiel pluraler Rationalitäten. Ein solcher Gedanke – und hierin liegt die Schwierigkeit jeder angemessenen Adorno-Lektüre – ist Adorno fremd und doch nicht fremd. Um ihn aber klar zu formulieren, müßten wir über Adorno hinausgehen.

Anmerkungen

1 Theodor W. Adorno, *Negative Dialektik. Gesammelte Schriften* Bd. 6, Frankfurt 1973, S. 27.
2 Max Horkheimer und Theodor W. Adorno, *Dialektik der Aufklärung* Amsterdam (Edition »Emigrant« Lichtenstein) 1955, S. 13.
3 A.a.O., S. 100.
4 A.a.O., S. 38.
5 Wilfrid Sellars, »Empiricism and the Philosophy of Mind«, in: *Science, Perception and Reality*, London 1963, S. 173.
6 *Dialektik der Aufklärung*, a.a.O., S. 41.
7 A.a.O., S. 37.
8 Vgl. a.a.O., S. 279.
9 A.a.O., S. 40.
10 A.a.O., S. 40 f.
11 A.a.O., S. 73 f.
12 A.a.O., S. 43.
13 A.a.O., S. 271.
14 Friedrich Nietzsche, *Werke* (ed. K. Schlechta) Bd. 3, Darmstadt 1960, S. 476.
15 A.a.O., S. 526.
16 *Negative Dialektik*, a.a.O., S. 18.
17 *Dialektik der Aufklärung*, a.a.O., S. 54.
18 A.a.O., S. 279.
19 A.a.O., S. 70.
20 A.a.O., S. 71.
21 A.a.O.
22 A.a.O., S. 66.
23 A.a.O., S. 47.
24 A.a.O., S. 70.
25 *Negative Dialektik*, a.a.O., S. 35.
26 Theodor W. Adorno, *Minima Moralia*. Frankfurt 1964, S. 333 f.
27 Theodor W. Adorno, *Gesammelte Schriften*, Bd. 16. Frankfurt 1978, S. 254.
28 *Negative Dialektik*, a.a.O., S. 21.
29 A.a.O., S. 400.
30 A.a.O., S. 29.
31 A.a.O.
32 A.a.O., S. 44.
33 A.a.O., S. 43.
34 A.a.O., S. 39.
35 A.a.O., S. 25.
36 A.a.O., S. 379.

37 Theodor W. Adorno, *Ästhetische Theorie, Gesammelte Schriften Bd. 7*, Frankfurt 1970, S. 71.
38 A.a.O., S. 300.
39 A.a.O., S. 315.
40 Theodor W. Adorno, *Philosophie der Neuen Musik. Gesammelte Schriften Bd. 12*, Frankfurt 1975, S. 57.

suhrkamp taschenbücher wissenschaft
Philosophie

Adorno: Ästhetische Theorie. stw 2
– Drei Studien zu Hegel. stw 110
– Einleitung in die Musiksoziologie. stw 142
– Kierkegaard. stw 74
– Die musikalischen Monographien. stw 640
– Negative Dialektik. stw 113
– Noten zur Literatur. stw 355
– Philosophie der neuen Musik. stw 239
– Philosophische Terminologie. Bd. 1. stw 23
– Philosophische Terminologie. Bd. 2. stw 50
– Prismen. stw 178
– Soziologische Schriften I. stw 306
Adorno-Konferenz 1983. Hg. von L. v. Friedeburg und J. Habermas. stw 460
Materialien zur ästhetischen Theorie. Hg. von B. Lindner und W. M. Lüdke. stw 122
Analytische Handlungstheorie, *siehe Beckermann und Meggle*
Apel: Der Denkweg von Charles Sanders Pierce. stw 141
– Transformation der Philosophie. Bd. 1. stw 164
– Transformation der Philosophie. Bd. 2. stw 165
Apel (Hg.): Sprachpragmatik und Philosophie. stw 375
– siehe auch Kuhlmann/Böhler
Avineri: Hegels Theorie des modernen Staates. stw 146
Barth: Wahrheit und Ideologie. stw 68
Bateson: Geist und Natur. stw 691
– Ökologie des Geistes. stw 571
Batscha/Saage (Hg.): Friedensutopien. stw 267
Beckermann (Hg.): Analytische Handlungstheorie. Bd. 2: Handlungserklärungen. stw 489
– siehe auch Meggle
Benjamin: Der Begriff der Kunstkritik in der deutschen Romantik. stw 4
– Benjamin über Kafka. stw 341
– Charles Baudelaire. stw 47
– Ursprung des deutschen Trauerspiels. stw 225
– siehe auch Schweppenhäuser
– siehe auch Tiedemann
Berkeley: Schriften über die Grundlagen der Mathematik und Physik. stw 496
Bloch: Werkausgabe in 17 Bänden. stw 550-566
– Bd. 1: Spuren. stw 550
– Bd. 2: Thomas Münzer als Theologe der Revolution. stw 551
– Bd. 3: Geist der Utopie. Zweite Fassung. stw 552
– Bd. 4: Erbschaft dieser Zeit. stw 553
– Bd. 5: Das Prinzip Hoffnung. 3 Bde. stw 554
– Bd. 6: Naturrecht und menschliche Würde. stw 555
– Bd. 7: Das Materialismusproblem. stw 556
– Bd. 8: Subjekt-Objekt. stw 557
– Bd. 9: Literarische Aufsätze. stw 558

201/1/4.89

suhrkamp taschenbücher wissenschaft
Philosophie

Bloch: Bd. 10: Philosophische Aufsätze. stw 559
– Bd. 11: Politische Messungen, Pestzeit, Vormärz. stw 560
– Bd. 12: Zwischenwelten in der Philosophiegeschichte. stw 561
– Bd. 13: Tübinger Einleitung in die Philosophie. stw 562
– Bd. 14: Atheismus im Christentum. stw 563
– Bd. 15: Experimentum Mundi. stw 564
– Bd. 16: Geist der Utopie. Faksimile der Ausgabe von 1918. stw 565
– Bd. 17: Tendenz-Latenz-Utopie. stw 566
– Leipziger Vorlesungen zur Geschichte der Philosophie. 4 Bde. stw 567-570
– Bd. 1: Antike Philosophie. stw 567
– Bd. 2: Philosophie des Mittelalters. stw 568
– Bd. 3: Neuzeitliche Philosophie 1. stw 569
– Bd. 4: Neuzeitliche Philosophie 2. stw 570
– Vorlesungen zur Philosophie der Renaissance. stw 252
Materialien zu Ernst Blochs »Prinzip Hoffnung«. Hg. v. B. Schmidt. stw 111
Zur Philosophie Ernst Blochs. Hg. von B. Schmidt. stw 268
Blumenberg: Die Genesis der kopernikanischen Welt. 3 Bde. stw 352
– Das Lachen der Thrakerin. stw 652
– Säkularisierung und Selbstbehauptung. (Die Legitimität 1. und 2. Teil) stw 79
– Der Prozeß der theoretischen Neugierde. (Die Legitimität 3. Teil) stw 24
– Aspekte der Epochenschwelle. (Die Legitimität 4. Teil) stw 174
– Die Lesbarkeit der Welt. stw 592
– Schiffbruch mit Zuschauer. stw 289
Böhler/Nordenstamm/Skirbekk (Hg.): Die pragmatische Wende. stw 631
Böhme, G.: Philosophieren mit Kant. stw 642
Böhme, H./Böhme, G.: Das Andere der Vernunft. stw 542
Braun/Holzhey/Wolfgang (Hg.): Über Ernst Cassirers Philosophie der symbolischen Formen. stw 705
Bubner: Geschichtsprozesse und Handlungsnormen. stw 463
– Handlung, Sprache und Vernunft. stw 382
Bungard/Lenk (Hg.): Technikbewertung. Philosophische und psychologische Perspektiven. stw 684
– *siehe auch Lenk*
Castoriadis: Durchs Labyrinth Seele, Vernunft, Gesellschaft. stw 435
Condorcet: Entwurf einer historischen Darstellung der Fortschritte des menschlichen Geistes. stw 175
Danto: Analytische Philosophie der Geschichte. stw 328

201/2/4.89

suhrkamp taschenbücher wissenschaft
Philosophie

Derrida: Grammatologie. stw 417
– Die Schrift und die Differenz. stw 177
Descombes: Das Selbe und das Andere. stw 346
Dewey: Kunst als Erfahrung. stw 703
Dilthey: Der Aufbau der geschichtlichen Welt in den Geisteswissenschaften. stw 354
Materialien zur Philosophie Wilhelm Diltheys. Hg. von F. Rodi und H.-U. Lessing. stw 439
Duerr: Ni Dieu – ni mètre. stw 541
Euchner: Naturrecht und Politik bei John Locke. stw 280
Fahrenbach: Die Philosophie Ernst Blochs im zeitgenössischen Kontext. stw 675
Ferguson: Versuch über die Geschichte der bürgerlichen Gesellschaft. stw 739
Fetscher: Rousseaus politische Philosophie. stw 143
Fichte: Ausgewählte Politische Schriften. stw 201
– *siehe auch Batscha/Saage*
Forum für Philosophie Bad Homburg (Hg.): Kants transzendentale Deduktion und die Möglichkeit von Transzendentalphilosophie. stw 723
Forum für Philosophie Bad Homburg (Hg.): Martin Heidegger: Innen- und Außenansichten. stw 779
Forum für Philosophie Bad Homburg (Hg.): Philosophie und Begründung. stw 673
Forum für Philosophie Bad Homburg (Hg.): Zerstörung des moralischen Selbstbewußtseins – Chance oder Gefährdung? stw 752
Foucault: Archäologie des Wissens. stw 356
– Die Ordnung der Dinge. stw 96
– Sexualität und Wahrheit. 1. Der Wille zum Wissen. stw 716
– Sexualität und Wahrheit 2. Der Gebrauch der Lüste. stw 717
– Sexualität und Wahrheit 3. Die Sorge um sich. stw 718
– Überwachen und Strafen. stw 184
– Wahnsinn und Gesellschaft. stw 39
Foucault (Hg.): Der Fall Rivière. stw 128
Frank, M.: Eine Einführung in Schellings Philosophie. stw 520
– Das individuelle Allgemeine. stw 544
– Das Sagbare und das Unsagbare. stw 317
Fulda/Horstmann/Theunissen: Kritische Darstellung der Metaphysik. stw 315
Furth: Intelligenz und Erkennen. stw 160
Gadamer/Boehm (Hg.): Philosophische Hermeneutik. stw 144
Gert: Die moralischen Regeln. stw 405
Gethmann-Siefert/Pöggeler (Hg.): Heidegger und die praktische Philosophie. stw 694

201/3/4.89

suhrkamp taschenbücher wissenschaft
Philosophie

201/4/8.89

201/5/4.89

suhrkamp taschenbücher wissenschaft
Philosophie

Kenny: Wittgenstein. stw 69
Kierkegaard: *siehe Theunissen/Greve*
Kojève: Hegel. Eine Vergegenwärtigung seines Denkens. stw 97
Kosík: Die Dialektik des Konkreten. stw 632
Kuhlmann (Hg.): Moralität und Sittlichkeit. stw 595
Kuhlmann/Böhler (Hg.): Kommunikation und Reflexion. stw 408
Lange: Geschichte des Materialismus. 2 Bde. stw 70
Lenk: Zur Sozialphilosophie der Technik. stw 414
– Zwischen Sozialpsychologie und Sozialphilosophie. stw 708
– Zwischen Wissenschaftstheorie und Sozialwissenschaft. stw 637
– *siehe auch Bungard/Lenk*
Locke: Zwei Abhandlungen über die Regierung. stw 213
Lorenzen: Grundbegriffe technischer und politischer Kultur. stw 494
– Konstruktive Wissenschaftstheorie. stw 93
– Methodisches Denken. stw 73
Lukács: Der junge Hegel. 2 Bde. stw 33
Mandeville: Die Bienenfabel oder Private Laster, öffentliche Vorteile. stw 300
Marquard: Schwierigkeiten mit der Geschichtsphilosophie. stw 394
McCarthy: Kritik der Verständigungsverhältnisse. stw 782
Mead: Geist, Identität und Gesellschaft. stw 28
– *siehe auch Joas*
Meggle (Hg.): Analytische Handlungstheorie. Bd. 1: Handlungsbeschreibungen. stw 488
– *siehe auch Beckermann*
Merleau-Ponty: Die Abenteuer der Dialektik. stw 105
Millar: Vom Ursprung des Unterschieds in den Rangordnungen und Ständen der Gesellschaft. stw 483
Mittelstraß: Der Flug der Eule. stw 796
Neurath: Wissenschaftliche Weltauffassung, Sozialismus und Logischer Empirismus. stw 281
Niehues- Pröbsting: Der Kynismus des Diogenes und der Begriff des Zynismus. stw 713
Oelmüller: Die unbefriedigte Aufklärung. stw 263
Pannenberg: Wissenschaftstheorie und Theologie. stw 676
Parmenides: Vom Wesen des Seienden. stw 624
Peirce: Phänomen und Logik der Zeichen. stw 425
– *siehe auch Apel*
Piaget: Einführung in die genetische Erkenntnistheorie. stw 6
– Weisheit und Illusionen der Philosophie. stw 539
– *siehe auch Furth*
Plessner: Die verspätete Nation. stw 66

201/6/4.89

suhrkamp taschenbücher wissenschaft
Philosophie

Polanyi, M.: Implizites Wissen. stw 543
Pothast: Die eigentlich metaphysische Tätigkeit. stw 787
– Die Unzulänglichkeit der Freiheitsbeweise. stw 688
Pothast (Hg.): Freies Handeln und Determinismus. stw 257
Quine: Grundzüge der Logik. stw 65
– Wurzeln der Referenz. stw 764
Rawls: Eine Theorie der Gerechtigkeit. stw 271
Riedel: Für eine zweite Philosophie. stw 720
– Urteilskraft und Vernunft. stw 773
Ritter: Metaphysik und Politik. stw 199
Rorty: Der Spiegel der Natur. stw 686
Sandkühler (Hg.): Natur und geschichtlicher Prozeß. Studien zur Naturphilosophie F. W. J. Schellings. stw 397
Schadewaldt: Die Anfänge der Geschichtsschreibung bei den Griechen. stw 389
– Die Anfänge der Philosophie bei den Griechen. stw 218
Scheidt: Die Rezeption der Psychoanalyse in der deutschsprachigen Philosophie vor 1940. stw 589
Schelling: Ausgewählte Schriften. 6 Bde. stw 521-526
– Bd. 1: Schriften 1794-1800. stw 521
– Bd. 2: Schriften 1801-1803. stw 522
– Bd. 3: Schriften 1804-1806. stw 523
– Bd. 4: Schriften 1807-1834. stw 524
– Bd. 5: Schriften 1842-1852. 1. Teil. stw 525
– Bd. 6: Schriften 1842-1852. 2. Teil. stw 526
– Philosophische Untersuchungen über das Wesen der menschlichen Freiheit. stw 138
Materialien zu Schellings philosophischen Anfängen. Hg. von M. Frank und G. Kurz. stw 139
– *siehe auch Frank*
– *siehe auch Sandkühler*
Schleiermacher: Hermeneutik und Kritik. stw 211
Schlick: Allgemeine Erkenntnislehre. stw 269
– Fragen der Ethik. stw 477
– Philosophische Logik. stw 598
– Die Probleme der Philosophie in ihrem Zusammenhang. stw 580
Schmidt (Hg.): Der Diskurs des Radikalen Konstruktivismus. stw 636
Schmidt-Biggemann: Theodizee und Tatsachen. stw 722
Schnädelbach: Philosophie in Deutschland 1831-1933. stw 401
– Vernunft und Geschichte. stw 683
Schnädelbach (Hg.): Rationalität. stw 449
Scholem: Die jüdische Mystik in ihren Hauptströmungen. stw 330
– Von der mystischen Gestalt der Gottheit. stw 209

201/7/4.89

201/8/4.89

suhrkamp taschenbücher wissenschaft
Philosophie

Wellmer: Ethik und Dialog. stw 578
– Zur Dialektik von Moderne und Postmoderne. stw 532
Whitehead: Wissenschaft und moderne Welt. stw 753
– Prozeß und Realität. stw 690
Whitehead/Russell: Principia Mathematica. stw 593
Winch: Die Idee der Sozialwissenschaft und ihr Verhältnis zur Philosophie. stw 95
Wittgenstein: Werkausgabe in 8 Bänden. stw 501-508
– Bd. 1: Tractatus logico-philosophicus. Philosophische Untersuchungen. stw 501
– Bd. 2: Philosophische Bemerkungen. stw 502
– Bd. 3: Ludwig Wittgenstein und der Wiener Kreis. stw 503
– Bd. 4: Philosophische Grammatik. stw 504
– Bd. 5: Das Blaue Buch. Das Braune Buch. stw 505
– Bd. 6: Bemerkungen über die Grundlagen der Mathematik. stw 506
– Bd. 7: Bemerkungen über die Philosophie der Psychologie. stw 507
– Bd. 8: Bemerkungen über die Farben. Über Gewißheit. Zettel. Vermischte Bemerkungen. stw 508
– Philosophische Bemerkungen. stw 336
– Vortrag über Ethik und andere kleine Schriften. stw 770
Texte zum Tractatus. stw 771
– *siehe auch Kenny*

201/9/4.89